L'ÉCRIVAIN DE LA FAMILLE

Né en 1960 à Valenciennes, Grégoire Delacourt est publicitaire. On lui doit notamment de fameuses campagnes pour Cœur de Lion, EDF, Lutti ou encore Apple. *L'Écrivain de la famille* est son premier roman et a été récompensé par cinq prix littéraires.

GRÉGOIRE DELACOURT

L'Écrivain de la famille

ROMAN

JC LATTÈS

© Éditions Jean-Claude Lattès, 2011.
ISBN : 978-2-253-16854-6 – 1ʳᵉ publication LGF

Pour Henry et Françoise ; on ne sait jamais.

J'étais bien placé pour savoir combien les livres peuvent être destructeurs, et cependant je ne connaissais pas de plus sûr moyen de garder auprès de soi ceux que nous aimons le plus.

Le Chagrin, Lionel DUROY.

SOIXANTE-DIX

À sept ans, j'écrivis des rimes.

Maman
T'es pas du Zan.
Papa
Tu fais des grands pas.
Mamie
T'es douce comme de la mie.
Papy
Tout le monde fait pipi.

À sept ans, je connus mon premier succès littéraire. La maman en question me serra dans ses bras. Le papa, la mamie et le papy applaudirent.

Les compliments fusèrent. Les verres trinquèrent. Des mots importants furent prononcés. Un don. Il le tient de son grand-père Pierre, celui qui a écrit cette si jolie lettre de Mauthausen, en 1941. Un poète. Un Rimbaud de sept ans.

Il y eut une larme aussi, sur la joue de mon père ; lente et lourde. Du mercure.

Les regards changèrent. Les sourires s'allongèrent. En quatre rimes pauvres, j'étais devenu l'écrivain de la famille.

À huit ans, je n'eus plus rien à écrire.

La grâce des homonymes appris au CM1 me permit un temps de faire illusion. Je me revois dans la cuisine jaune pâle de notre maison de Valenciennes sortir de ma poche une feuille pliée dans laquelle mes parents émerveillés (qui rime avec *pliée*) attendaient la confirmation de la poésie et du génie.

> *Je suis allé vers la chaire*
> *J'ai trouvé quelqu'un de cher*
> *Qui voulait manger ma chair*

Ma sœur se mit à crier. Mon frère s'envola jusqu'au faîte du bahut. Ma mère bondit vers les escalopes qui brûlaient.

Mon père, lui, ne bougea pas. Une lueur étrange irradiait ses yeux verts. Il hocha imperceptiblement la tête. Je sais aujourd'hui que mes mots s'y bousculaient.

Plus tard, alors que j'étais au lit, il me demanda si je connaissais celui-ci, extraordinaire, que seuls quelques hommes savent prononcer sans trébucher. Ce mot qui sépare le *vulgum pecus* du poète :

— Transsubstantiation.

Je restai coi.

— C'est le terme qui désigne la transformation d'une substance en une autre. La chair de ton poème, c'est l'amour de Dieu. Je le sais, à cause de *chaire* qui dit église et de *cher* qui dit amour. Comment as-tu trouvé ça ?

— Je ne sais pas papa, c'est venu tout seul.

Il posa un baiser sur mon front.

— Alors continue. Laisse les choses s'écrire.

À neuf ans, je fus dans la position de ceux qui eurent du talent trop tôt.

Souvenez-vous. Joselito. Billy. Les Poppys. Melody. Jordy. Santiana. Kenji Sawada.

Les mots s'usaient à mesure que je grandissais.

J'entendis pour la première fois l'expression *un feu de paille* et compris que, même lorsqu'ils étaient jolis ou campagnards, les mots pouvaient être cruels.

À neuf ans, je connus la déchéance.

Écrit n'importe quoi, commenta la maîtresse. *Voir un conseiller pédagogique.* Les mots de la directrice enfoncèrent le clou. *Doit redoubler. Thérapie à prévoir.*

À l'aube de mon dixième anniversaire, mes parents se réunirent en conclave.

Un jour et une nuit durant, les volutes des Gitanes de l'un se mêlèrent à celles des Royale Menthol de l'autre dans un brouillard criminel. Mon frère, ma sœur et moi tout ce temps assis derrière la porte du salon, eûmes les yeux rouges des toxicomanes, le ventre affamé des condamnés en attendant le verdict. Plusieurs fois mon frère plus jeune de trois cent soixante-trois jours déploya ses ailes et marmonna des airs de Tino Rossi. Ma très jeune sœur, d'ordinaire dans les aigus, se mit à parler d'une voix grave. Quant à moi, je coulai sur une feuille de papier toilette le poème de l'apocalypse dernier :

Adieu Valenciennes
Adieu mes chiennes
Adieu mes chaînes

Un jour nouveau allait naître.

Dans le salon, les cigarettes manquaient. La toux remplaçait le verbe. Le conclave tirait à sa fin. Notre fratrie allait se fracturer.

Nos parents sortirent du brouillard, les yeux cernés, la peau grise, la langue épaisse, les cheveux gras ; l'air vieux soudain.

— Édouard va aller en pension.

Mes mots n'y purent rien. Ni les gros, les petits. Ni les colériques, les sucrés, les mielleux et les fielleux.

Automne 1970, une saison assassine pour mes confrères. Mauriac. Dos Passos. Mishima. Bientôt Follain.

Ce jour de rentrée scolaire, au volant de sa DSuper 5, mon père rejoignit Amiens en moins de deux heures.

Imaginez une scène dans un film de Claude Sautet.

La voiture fait des bonds sur la nationale; elle semble voler. C'est l'effet de la suspension hydro-pneumatique – qui fera vomir des milliers de gens. Au volant, l'homme allume sa prochaine cigarette au mégot de la précédente, il ne s'arrête jamais de fumer. Il ressemble à Michel Piccoli. Les vitres sont fermées, à cause de *l'aérodynamisme* (c'est alors un mot nouveau, prononcé avec un brin de respect ou une moue de méfiance). À côté du conducteur, on ne le voit pas tout de suite parce qu'il est encore de petite taille, noyé dans la fumée, il y a l'enfant. Le poète mort-né. L'écrivain qui n'écrit pas. Le *feu de paille*.

— C'est dur, je sais, dit le fumeur de Gitanes. J'ai pleuré aussi quand je suis parti en Algérie. À mon retour, je n'avais plus de larmes.

Et parce que les cigarettes ont desséché sa gorge, le conducteur stoppe l'automobile moderne devant l'un des cafés de la place de la Gare d'Amiens. Il est alors neuf heures trente. La rentrée est à dix heures.

— On a le temps, murmure Michel Piccoli.

Il commande une Pelforth brune, un chocolat chaud, deux croissants. Puis, comme par magie, un Livre de Poche apparaît dans ses mains. La tranche des pages est orange. La gouache de la couverture montre une tablée paysanne, dehors. Un vieil homme sert à boire à un jeune homme blond ; derrière eux, un cerf pose, fier de ses bois. C'est un roman de Giono. *Que ma joie demeure.*

— Tiens. Tu verras, écrire guérit.

L'enfant regarde son père sans comprendre. *Guérit de quoi ?* Le père sent le trouble, sourit mais n'explique rien ; déjà. L'enfant aime son sourire rare.

Ils arrivent en retard, bien sûr. Michel Piccoli aide son fils à faire le dernier lit dans le dortoir, près de la porte des toilettes. Il a alors les mêmes gestes délicats que sa femme dans le film quand elle fait ceux des enfants dans leur grande maison qui donne sur un jardin.

Le père accompagne son fils jusqu'à la cour où l'appel est en cours et l'enfant ne peut s'empêcher de relever la rime. Mais le fumeur ne sourit plus, effrayé qu'il est soudain du sentiment qu'il a d'abandonner son petit. Il se retourne vivement, court vers la voiture aérodynamique. Sans laisser à son fils la chance de lui dire que ses larmes, dans l'auto, venaient de la fumée de ses cigarettes et que oui, oui, j'étais triste.

Cut.

Le père divisionnaire mit le roman de Giono à l'index.

Il confisqua le seul cadeau que me fit jamais mon père et avec lui la clé de l'énigme. *Écrire guérit.*

Nous vivions dans un monde où un type allait bientôt se balader sur la lune, un monde où Mariah Carey la chanteuse de variété aux huit octaves allait voir le jour et cependant, un livre écrit trente-six ans plus tôt était censuré par un aigri.

Alors pour me venger de l'acrimonieux, je devins auteur de mots anonymes.

Je commençai petit. Mesquin.

Mes quatre premiers mots anonymes furent écrits à la pointe d'un stylo Bic dans le plâtre des toilettes de la salle de sport.

Moncassin est un porcin.

Pourquoi Moncassin? Parce que c'était *un grand*; un élève de quatrième, sombre, silencieux, sauvage. Parce qu'il avait une moustache, une lame noire au-dessus de la bouche. Et que les lettres anonymes servent à éloigner ceux qui nous effraient.

Les dix mots anonymes suivants furent gravés avec la clé de notre maison de Valenciennes sur le bureau en bois de Moncassin.

> *Le père divisionnaire*
> *Aime se balader*
> *Le cul à l'air.*

Les cinq derniers, peints à la gouache sur la porte du cours de dessin.

> *Édouard*
> *Pue comme un loir.*

Je n'étais pas sûr qu'un loir puât, d'ailleurs. (J'avais jugé habile de m'adresser une offense afin de détourner une quelconque accusation.)

Ceci dit, mes mots vengeurs n'allaient pas se circonscrire au pensionnat. Non. Il fallait qu'ils atteignissent aussi ceux qui les avaient encensés puis sacrifiés.

Les suivants furent pour ma mère. J'écrivis de la main gauche – nous venions d'apprendre le mot *graphologie* et le professeur avait mentionné qu'il s'agissait d'une science qui permettait de lire les personnalités et de démasquer les assassins.

> *Méfie-toi sorcière des fils qu'on abandonne,*
> *Ils reviennent toujours changer la donne.*

Je m'en voulus de cet *abandonne-donne*, mais ce fut plus fort que moi. Trois ans plus tôt, j'avais osé *Zan* et *maman*, *pipi* et *Papy* et j'en avais reçu de l'amour.

Depuis, on me l'avait repris.

Le père divisionnaire, flanqué du professeur de gymnastique, un solide gaillard qui portait un nom de fleur, réunit tous les élèves dans la cour d'honneur. Il fit état des injures apparues sur les murs de l'école.

Il eut des mots sévères pour l'imbécile lâcheté des auteurs anonymes. Il était rouge, tout rouge ; une veine avait gonflé à sa tempe, on y voyait le sang comme un fleuve en furie.

Et puis soudain, il se mit à rire. Son rire résonne encore en moi ; un rire de démon. Mais je ne suis pas un imbécile, bande d'imbéciles ! cria-t-il, ça non, combien d'entre vous connaissent Stanislas-André Steeman ? Nous nous regardâmes, cherchant le fameux Steeman au milieu de nous. Une bande d'imbéciles doublée d'une bande d'ignares ! Qui a lu *L'assassin habite au 21* ? Quelques rires fusèrent. La veine du prélat gonfla au point maintenant d'en devenir menaçante ; les pensionnaires à proximité reculèrent d'un pas.

Soudain, deux sobriquets furent sifflés.

— Monsieur Porcin ! Monsieur Loir ! Ici, tout de suite !

Des rires moqueurs s'envolèrent. Moncassin et moi approchâmes de l'imprécateur. Il souriait, content de lui l'homme d'Église ; il allait dompter deux brebis galeuses.

— Vous êtes des petits malins, chuchota-t-il lorsque nous fûmes tout près de lui. Et *malin*, monsieur Loir, ça rime avec… ?

J'ouvris grand les yeux.

— *Crétin*. Quant à vous monsieur Porcin, avec votre tête de diable, ne mentez pas.

Moncassin forma alors un revolver avec la main, pointa le canon vers la tête du divisionnaire et tira.

Ce coup de feu silencieux déclencha un silence plus terrifiant encore. Un élève avait tué un prêtre et le prêtre était toujours vivant.

L'arme redevint main que le tueur à fine moustache sombre me tendit en souriant. J'eus un mouvement de recul. Pourquoi s'était-il laissé accuser pour les mots anonymes ? Allait-il demander un service en retour ? Quelque chose de terrible ? Voler des hosties ? Devenir son ami ? Son esclave ? Mais son sourire était beau. Je mis ma main dans la sienne.

— Je le savais, trépigna l'Inquisiteur aux anges, je le savais !

Dans le roman à énigme de Steeman, il n'y avait pas un, mais trois assassins qui se protégeaient les uns les autres.

Moncassin et moi fûmes retenus au pensionnat quatre week-ends durant. Nos parents furent convoqués par l'abbé directeur ; Moncassin serait interdit de pensionnat à la rentrée prochaine, son geste mentionné dans son livret scolaire et je devrais dorénavant dormir dans *la cellule*. C'était une chambre adjacente au dortoir. On l'appelait *la cellule* parce qu'on y était seul et qu'être seul, dans un collège de jésuites, c'était être contaminé, contagieux. Un lépreux.

À Valenciennes, humiliée par ma menaçante missive, choquée par mon comportement avec ce Moncassin à tête d'assassin (*la rime est d'elle pas de moi*), ma mère décida que je n'étais pas un enfant comme les autres. Non qu'elle me jugeât supérieur à eux, elle me rangea plutôt dans la catégorie des enfants différents. Au sens de dangereux. Vous vous rendez compte docteur, à sept ans il est tout doux, tout blond, il a la peau d'une fille, il écrit des vers, fait le bonheur de sa famille, on dirait un ange et, trois ans plus tard, il la menace, il se sert de son don pour nous effrayer, il s'acoquine d'un coquin (*décidément*) et terrorise tout un pensionnat, je ne sais plus quoi faire d'autant que son père, je me dois de vous le dire, ne va pas très bien. *Je me dois de.* Quelle étrange formule.

Printemps 1971.

Si la mode est aux jerseys à rayures de Frank et Fils et aux jupes ultracourtes de Cacharel elle est surtout à la psychanalyse. La *Nouvelle revue de psychanalyse* fondée l'année précédente par Pontalis en est à son troisième numéro ; ma mère est accro.

À onze ans, après une éphémère et mouvementée carrière de poète, je me retrouve alors à consulter tous les jeudis et samedis après-midi un certain docteur Fromentin, derrière la gare d'Amiens. L'homme n'est pas désagréable. Il ressemble à l'auteur Didier Decoin du temps d'*Abraham de Brooklyn*. Un grand bureau noir nous sépare. Sur le bureau noir, il y a une feuille blanche. Dans sa main, un gros stylo plume argenté, long comme le cou d'un oiseau que ses doigts

étranglent. Il ne parle pas. Et comme je ne parle pas
non plus, il ne se passe rien. Il me prescrit du Valium
et du Mogadon. Je perds l'envie d'écrire, de rire, de
rentrer chez nous, de parler.

L'envie de vivre.

Mon père a alors quarante-cinq ans.

Il est seul au Corbier, au cœur du massif des Sybelles ; seul depuis plusieurs mois. Il ne revient pas pour les dix ans de mon frère, pour mes onze ans.

Comme chaque année, notre mère organise une seule fête pour nous deux parce que nous n'avons que deux jours d'écart, dit-elle – en fait trois cent soixante-trois. Il y a très peu d'enfants ; beaucoup d'adultes, d'hommes. Elle rit souvent. Elle est très belle dans cette robe de Courrèges ; ses lèvres sont roses et brillent quand un homme la fait rire et lorsque ce même homme lui tend du feu pour allumer sa cigarette, ses doigts donnent l'impression de s'y accrocher pour ne plus jamais le lâcher.

J'ai vu ce jour-là ma mère nous quitter.

J'ai vu ses gestes nouveaux, entendu ses rires aigus. Je l'ai vue belle et légère et infidèle. Je l'ai vue heureuse avec d'autres que nous, que mon père et ce fut comme un cadeau qu'elle nous fit, sans le savoir. Elle nous indiquait qu'elle pouvait vivre sans nous ; que nous devions nous y préparer. Viendrait un temps où tout ce que nous fûmes ne serait plus. Ce qui liait pou-

vait aussi délier, disaient ses rires. Elle laissait entendre
que les failles finissent toujours par s'agrandir.

Qu'une famille ne dure jamais.

Alors j'eus peur et froid. Je passai cette journée collé
à mon frère siamois. La beauté papillonnante de notre
mère l'hypnotisait. Le Mogadon de Fromentin m'abru-
tissait. Pourquoi notre père était-il au Corbier depuis
si longtemps ? Pourquoi n'avions-nous pas de lettre ?
Notre grand-mère paternelle nous avait demandé de
prier pour lui parce que c'était devenu difficile « au
magasin » ; il y avait tous ces sauvages qui arrivaient
aux portes de la ville avec leurs supermarchés et leurs
robes toutes faites à trente francs, leurs chemises de
confection à dix-huit francs, leurs voilages sur mesure
à soixante-dix francs le mètre, tringle et pose incluses ;
ces voyous qui allaient nous tuer tous.

Nous reçûmes pour cadeau un petit train *Jouef*. Les
rails dessinaient un rond ; la BB 27 et son unique wagon
tournaient donc désespérément sur eux-mêmes. Mon
frère riait. Moi non. Ma mère s'approcha :

— Ton papa est malade Édouard, il a une dépression.

— Il va mourir ?

— Il aurait pu, mais il va revenir. Tu sais ce qui lui
ferait du bien ? C'est que tu lui écrives.

Mais je n'écris plus, maman, plus depuis que le
père aigri m'a condamné à recopier les pages du *Châ-
teau intérieur* de sainte Thérèse d'Avila pendant mes
week-ends de colle. Plus depuis que les lettres que je
t'ai envoyées sont restées lettres mortes. Plus depuis le
Valium, le Mogadon.

Je n'écris plus.

— Penses-y. C'est ton père.

Je passai alors mes heures d'étude dans *la cellule* à gribouiller des mots pour lui. Je cherchais des rimes à joie. Mois. Oie. Noix. Froid. Proie. Foi. Des rimes à reviens. Rien. Zirconien. Païen. Bien. Canadien. Mon père me manquait, la fumée de ses cigarettes, sa tristesse.

Quelques semaines plus tard, je lui envoyai une carte postale au Corbier. Au recto, la façade de l'Hôtel de Ville de Valenciennes qui avait résisté aux bombardements allemands de 1940. Au verso, pas mieux que ces deux mots. Je t'aime.

Il revint quelques mois plus tard, aminci, bronzé ; le front légèrement dégarni. Ses yeux verts avaient retrouvé leur malice. Nous pleurâmes tous. Claire avait chanté une comptine, mon frère lui offrit un abat-jour en laine orange réalisé dans son école (pour la fête des mères) et moi un livre de dessins de Jacques Faizant. Il nous prit tour à tour dans ses bras, nous remercia ; remercia Dieu d'être à nouveau parmi nous, jura que tout allait s'arranger désormais puis il s'adressa à moi. Il parla lentement, en articulant plus que nécessaire. On eût dit qu'il avait longtemps cherché les mots, qu'il les voulait précis, importants.

— Et toi Édouard, je te remercie de m'avoir sauvé la vie.

Ma mère haussa les épaules, disparut dans le salon où elle aimait à s'enfermer pour fumer des Royale Menthol. À l'instant où notre père était rentré, sa beauté s'était évanouie.

Il reprit le magasin en main. Ordonna d'importants travaux d'agrandissement – ce qui portera la surface totale de vente, précisait-il, à mille six cent cinquante-neuf mètres carrés. Il contacta de nouveaux fournisseurs. Nous eûmes même l'honneur de la présence de Jacques Anquetil, « l'ange du vélo », le champion aux cinq victoires dans le Tour de France, qui présenta sa première collection de survêtements. Il m'en offrit un, me le dédicaça sous les applaudissements du personnel et les regards attendris des vendeuses. La célèbre signature disparut au premier lavage et l'encre du feutre laissa une tache indélébile à un endroit qui me valut moult railleries en éducation physique.

Deux mots avaient ramené mon père à la vie.

Je n'osai lui demander ce qui était arrivé. Cela avait-il à voir avec la beauté de notre mère ? À son absence de larmes depuis son retour d'Algérie ? Son cœur s'était-il desséché, ma mère en souffrait-elle ? Nous n'en parlions pas. Rien n'était arrivé.

Notre mère restait enfermée au salon, perdue dans le brouillard mentholé. Le soir, ses yeux étaient rouges comme si elle avait pleuré.

Le matin, notre père partait de plus en plus tôt au magasin. Nous perdîmes l'habitude de le voir. Nous ne voyions plus nos parents ensemble que le dimanche, chez notre grand-mère paternelle, autour d'un rôti et de pommes au four. Mon père ne parlait que du magasin ; on eût dit qu'il ne lui restait plus que des mots pour ça, que tous les autres, les mots qui parlaient du temps, de la musique, des nouvelles du monde avaient disparu. Il évoquait un projet d'association de commerçants du centre ville, on va se défendre, on ne va pas laisser les supermarchés faire la loi ! Ma mère n'écoutait pas. Elle ne touchait ni au rôti ni aux pommes au four. Elle fumait tout un paquet de cigarettes, l'air las, si loin déjà.

Puis le soir tombait ; mon père me conduisait alors à la gare de Valenciennes ; me serrait contre lui, murmurait je suis désolé, pardonne-moi et, les yeux humides, je courais sur le quai attendre le train pour Amiens sans jamais avoir osé lui dire les mots mille fois répétés, parle-moi papa.

Nous devenions muets. Ce qui était le comble pour une famille qui comptait son propre écrivain.

La psychanalyse fit des ravages dans notre famille.

Ma mère ne parlait plus parce qu'elle gardait ses mots pour son analyste, un certain Boucher, à Lille. Mon père se taisait parce qu'il savait que si les mots peuvent guérir, ils peuvent aussi blesser, détruire. Et nous n'osions poser de questions. Ouvrir la bouche pouvait déclencher un cataclysme.

Exemple.

Dans la cuisine jaune pâle qui avait vu mes débuts d'enfant de lettres, qui se souvenait de nos joies à être parfois une famille drôle et légère comme celles qui habitent dans les films de Frank Capra, je demandai un soir à mes parents alors que nous étions à table :

— Est-ce que le silence ça veut dire qu'on ne s'aime plus ?

Il y eut un silence, cela va sans dire, puis des objets volèrent.

Claire se mit à hurler, atteignit une octave inconnue. Mon frère en larmes l'imita ; terrifié, il se colla à elle, disparut en elle. Ils coururent sous les bombes se réfugier dans sa chambre. Je restai là, paralysé.

Il faut avoir vu ses parents se battre pour comprendre qu'un enfant puisse avoir envie de mourir.

Je m'allongeai sous la table. Un chiot trouillard.

Ma mère sortit de la cuisine, claqua la porte. Plus tard mon père quitta doucement sa chaise. Ses jambes tremblaient. Un vieillard de quarante-six ans désormais. Il entreprit de ramasser les mots brisés sur le sol, *salière, assiette, verre, broc, ramequin*. Il les recollera, les mots éparpillés. Puis il les rangera à leurs places premières, dans le bon ordre, pour en faire une phrase qui dit que tout va bien, que tout rentre dans l'ordre justement. Avec le temps, il tentera de cacher les cicatrices des mots. Il les poussera loin dans l'ombre du placard, jusqu'à l'oubli.

Quand il vit le chiot penaud, il s'accroupit, tendit la main. Ce fut la seule fois où je le vis pleurer. Cette impudeur inattendue m'apprit qu'il existait à cet instant une douleur plus grande encore que la mienne. La sienne. Je me laissai alors guider pour sortir. Revenir à la lumière.

Cet été 1971 fut criminel. Louis Armstrong, Jim Morrison, Pierre Flament.

Le premier succomba à une attaque cardiaque, le deuxième itou bien que d'aucuns accusèrent le LSD et le FBI, quant au troisième, mon grand-père maternel, il s'effaça dans le silence de la maladie de l'oubli. Il avait oublié les noms de ses trois filles. Il avait mis du riz dans son oreille pour le manger. Il ne tirait plus la chasse d'eau. Il avait demandé à sa femme qui elle était ; surtout, il avait gloussé en entendant le rire de Denise Fabre.

La mère et les filles s'étaient réunies au début de l'année et avaient envoyé *l'homme redevenu enfant* dans une institution belge où il oublia de respirer.

Lorsque je vis son corps mort, j'eus l'impression de voir une branche d'arbre. Il était si maigre, si noueux. La peau de son visage semblait trop grande, pendouillait comme la pâte d'une crêpe. C'était fascinant. Mon premier mort. Ma mère pleura. Mes yeux étaient secs. Elle attrapa ma main, nous sortîmes de la chambre d'hôpital. Il faisait très chaud dehors. Elle s'assit sur un banc du jardin, me maintint debout face à elle. Me regarda longuement puis arrangea mes cheveux ; sa main tremblait.

— Tu es beau, me dit-elle, moi je suis laide aujourd'hui ; c'est épouvantable, je n'ai plus de papa. On est si laide quand on n'a plus de papa.

À cet instant, j'étais trop jeune et trop peu talentueux pour trouver des mots qui l'auraient convaincue qu'aucun père en ce monde n'a de fille laide. Le soleil sécha ses larmes, laissa deux cicatrices de sel sur ses joues. Elle me serra un instant dans ses bras puis se leva, se dirigea vers la Dyane, allez viens, dépêchetoi !

Je sus à cet instant que l'enfance s'éloignait.

Dans la voiture, elle me suggéra d'écrire quelques lignes que je pourrais lire à la messe d'enterrement. Je ne dis rien. Je regardai le paysage. Je regardai les branches des arbres. Des bras. Des jambes. Des troncs. Des bouts de grand-père. J'eus la nausée. Elle pila afin que je pusse vomir dehors et attendit derrière le volant ; la carte Michelin qu'elle utilisait comme un éventail faisait voler ses cheveux roux. Elle était pâle et floue.

Soudain elle klaxonna son impatience. Je remontai à bord, la bouche pâteuse, puante.

J'écrivis toute la nuit. Dans le Larousse, *Mauthausen* : nom d'un camp de travail créé par les nazis en territoire autrichien (le reste des informations avait dû s'envoler avec les aigrettes du pissenlit du logo). Depuis le procès de Nuremberg les images avaient fait le tour du monde. L'horreur, l'effroi, la gangrène, la honte, la boue des hommes. Les survivants étaient des morts-vivants. *La maladie de l'oubli* avait été une grâce accordée à mon grand-père. Si elle effaçait aussi les images du bonheur, les enfants qui courent un été sur la plage de Knokke-le-Zoute en criant « attrape-nous papa ! » ou l'image d'une femme qui vous sourit en versant de la citronnade, elle consumait surtout les images des ténèbres. La maladie qui l'avait tué l'avait aussi sauvé.

C'est ce que j'écrivis pour que ma mère ne soit pas triste.

L'enterrement eut lieu quatre jours plus tard en l'église Saint-Michel-de-Valenciennes. La nef était noire de monde. On entendit des larmes et le *Stabat Mater* de Vivaldi. Au micro se succédèrent ses deux filles, un ami notaire, un cousin éloigné. On oublia de m'appeler pour que je lise ma prière.

L'année de mes douze ans, mon père se plaignit de surdité et essaya différents appareils auditifs – à cette époque, la miniaturisation ne s'intéressait pas encore à cette catégorie de produits et Claire et moi l'appelions Dumbo en secret.

Il n'avait pas cinquante ans.

Après une année joyeuse qui vit l'inauguration, la rupture du stock de survêtements Jacques Anquetil, le grand choix de voilages et macramés Voildieu, les soldes à l'américaine tous les premiers et troisièmes mercredis du mois qui attiraient foule, l'activité du magasin était retombée. L'euphorie passagère ne couvrait pas l'emprunt des travaux. Le teint de mon père vira au jaunâtre de son audiophone. Il retourna vivre chez sa mère dont l'appartement se situait au-dessus du magasin.

À l'instant où il partit, ma mère sortit de sa torpeur mentholée, ouvrit toutes les fenêtres de notre maison, arracha les draps du lit conjugal, les jeta à la poubelle et s'en alla, légère, chez le coiffeur.

C'est à cette époque que mes mots se tarirent – à croire que Dumbo les avait emportés avec lui. À l'école, je fus incapable de la moindre dissertation. À la fête des

mères, d'aucun poème sucré. À Noël, d'aucun vœu.
Fromentin réduisit mes doses de Valium, de Mogadon,
s'intéressa à ma nourriture et me recommanda du sau-
mon. Nos demi-heures bihebdomadaires procédaient
du même ennui poli ; je lui lâchais quelques mots usés,
il prenait quelques notes fatiguées. Le professeur de
français inquiet de cette disparition m'imposa la lecture de deux livres par semaine. Mon grand-père
paternel informé de cette infortune me fit envoyer
les romans de Maurice Leblanc et de Gaston Leroux.
L'aigri censura *La Comtesse de Cagliostro* – je suppo-
sai un jour que sa fronde visait la dimension délicieu-
sement incestueuse du livre. Et Claire qui fêtait l'âge
de raison m'adressa ses douze albums de Martine. Ils
furent les seules choses qu'on me volât au pensionnat,
les coquines culottes blanches de la gamine en furent
évidemment la raison. Un dimanche, je retrouvai
Dumbo chez ses parents. Je voulais voir sa chambre.
Sa vie sans nous. Avait-il accroché des photos de nous
au mur ? Avait-il gardé nos dessins, l'abat-jour en laine
orange de notre frère, ma carte postale, le livre de
Faizant ? Y avait-il ici quelque chose qui lui rappelait
maman ? Les mots perdus étaient-ils ici ?

Sa chambre était triste. Nulle photo au mur. Nul
abat-jour laineux, effiloché. Nulle trace de notre vie. Il
sentit mon trouble, me fit asseoir à côté de lui sur le lit,
posa sa main sur mon épaule. Sa main tremblait. J'étais
fier qu'il ne me cachât pas cette faiblesse nouvelle. Un
jour, tu nous as demandé si le silence signifiait qu'on
ne s'aime plus et nous avons cassé des choses dans la
cuisine, ta mère et moi. Je fis oui de la tête. La réponse
est oui, murmura-t-il ; oui, le silence c'est la fin. Alors

tu vas mourir parce que tu n'entends plus ? demandai-
je bouleversé. Son sourire rare apparut. Sa main se fit
plus ferme. Pourquoi je n'arrive plus à dire les choses
depuis que tu es parti, papa ?

Mais il n'entendit pas.

Six années de pension, de la sixième à la première, firent de moi un ignare savant.

Certes, je connaissais Thérèse Raquin, Jean-Paul Sartre, Jean-Sol Partre, la quantité de bovidés de la sous-famille des caprinés du genre ovis en Argentine, le nom de la capitale de Malte, le catastrophique PIB de la Suisse, le nombre de voix d'Émile Muller au premier tour de la dernière élection présidentielle mais je ne savais rien des choses du dehors.

J'étais une sorte de Candide. Un enfant sauvage qui n'avait pas vu *L'Épouvantail*, *Le Parrain*, *Que la fête commence*, *Monsieur Klein*. Qui ne fut pas au courant du suicide de Mike Brant. Qui avait raté la naissance de U2, The Clash et Jake Shimabukuro, futur virtuose de l'ukulélé. Qui jamais ne verrait les Beatles ensemble.

Je n'avais fait l'amour qu'une seule fois, à quinze ans, en Angleterre avec une autochtone replète qui sentait la farine et le pois chiche et qui babilla dans sa langue incompréhensible le peu de temps que durèrent mes agitations. À entendre quelques années plus tard les externes se vanter de moiteurs musquées, de pisses sucrées, il me sembla que là aussi j'étais passé à côté *des choses*.

Je demandai alors à mes parents de suivre la terminale ailleurs qu'en pension. Ils acceptèrent l'un
et l'autre si l'autre acceptait. L'autre accepta. Je fus
envoyé chez ma tante.

Elle habitait une jolie maison blanche en bordure
d'un golf, près de Roubaix, avec un mari et un méchant
chien. Lorsque le mari sortait le méchant chien, la
tante, dans ce qu'elle croyait être un silence parfait,
décrochait le combiné du téléphone de l'entrée, d'où
elle pouvait surveiller les retours du promeneur et du
canidé.

Caché à l'étage, je voyais des perles de transpiration affleurer à son cou, nacrées comme celles d'un
collier. Ses mots devenaient soupirs, rires, couine-
ments, reniflements. Ils étaient tour à tour grotesques,
touchants, ridicules, énervants. Ils étaient les mots
du langage des amants, les mots qui crient ce qu'ils
veulent taire. Je revis ma mère ; ses rires graves avec
certains hommes. Avait-elle eu un amant ? En avait-
elle seulement désiré un ? Dumbo l'avait-il appris ?
Était-ce la raison de sa dépression, sa surdité, son
pitoyable retour auprès de sa *manman* ? Mon frère
l'avait-il su lui aussi ? S'était-il mis à chanter Tino
Rossi, siffler Chopin pour couvrir des bruits qui
l'effrayaient ? Était-ce pour taire cela que mes mots
s'étaient taris ?

L'année de terminale passa.

Je goûtai à l'ivresse du trichloréthylène en découvrant Bob Dylan. Je cherchai la compagnie de
quelques filles, le chemin de leurs lits. Je regrettai
l'absence d'un grand frère ou d'un ami qui m'aurait
expliqué comment ravir le cœur d'une fille pour par-

venir à lui fourrer la chatte, parce que c'est bien toujours de cela dont il s'agit, non ? L'amour, c'est un mot
pour après. Quand on ne fourre plus et qu'il faut bien
vivre ensemble.

J'obtins le baccalauréat d'extrême justesse. Ce fut
le dernier été à Beg-Meil avec les cousins puceaux, les
mamans seules, l'enfance qui se délitait. J'allais avoir
dix-huit ans. Aucune vie ne me faisait envie. Ni celle
de Dumbo en commerçant triste ni celle de l'oncle
cocu. Une enfance heureuse me manquait. Mon frère
qui ne chantait plus, ses ailes repliées me manquaient.
La joie de Claire quand je lisais de la poésie. Je décidai
d'écrire un roman.

Cet été 78 plane avec le bondissant Plastic Bertrand. Village People chante *Y.M.C.A.*, Boney M., *Raspoutine*, les Bee Gees, *Saturday Night Fever* et The Scorpions, *Tokyo Tapes*.

Dumbo ne fut qu'un seul jour parmi nous. Et il le passa loin de nous, sur la plage. Il avait juste ôté sa veste, enlevé ses chaussures et chaussettes noires. On eût dit un scarabée perdu au milieu des écrevisses. Il resta là trois heures, assis au soleil, à regarder la mer qu'il n'entendait pas, les enfants qui gesticulaient et hurlaient sans bruit, le chaos. Puis son visage finit à son tour par devenir tout rouge ; on ne se méfie jamais assez du soleil bigouden. Il se leva, marcha pieds nus dans le sable jusqu'à la bande d'asphalte brûlant où il sautilla comme une fille puis, arrivé à la voiture hydropneumatique, il remit ses chaussettes, ses chaussures, jeta sa veste sur la banquette de skaï. Il fit un signe dans le vide, à qui de nous voulait le prendre, remonta dans la DSuper 5 et disparut au bout de la ruelle. Plus tard, je l'imaginai alors foncer à deux cents sur les nationales, flirter avec les arbres, déboîter derrière les poids lourds au dernier moment ; se faire peur, jouer à jouer sa vie en espérant qu'un conducteur plus fou encore décide à sa place. Et boum.

Mais il faut être fort pour mourir et Dumbo n'est pas fort. Je le sais. Nous avons tous hérité sa faiblesse.

Cet été, les cousins puceaux s'initient à la voile au large de Beg-Meil et rentrent assommés à l'heure du goûter.

Claire a treize ans ; elle retrouve une amie de l'année dernière et toutes deux font la chasse aux garçons, plus au nord, dans les rochers. Quand ils veulent les attraper, elles s'échappent comme des petits crabes.

Mon frère passe ses journées au Club de la Plage à jouer avec des enfants de l'âge de l'enfant dans sa tête. Son corps est couvert de crème blanche qui le protège du soleil. Quand il déplie ses bras, on dirait un cygne gracieux et lorsqu'il rit, les enfants autour de lui font une farandole et poussent des petits piaillements de joie. Je le regarde parfois, caché dans l'ombre des cabines de plage et je voudrais qu'il rie toujours, ne connaisse ni la peur ni le froid. Mais je ne suis pas un bon frère.

Dans le jardin sec où les aiguilles de pin transpercent les pieds nus, ma mère et ma tante boivent du Campari pendant des heures. Leurs maris ne sont pas là. Elles fument, rient beaucoup. D'ordinaire elles n'exposent pas au soleil leur peau si fragile mais cette année elles y consacrent trente minutes chaque jour. Elles sont belles. Leur hâle nouveau gomme les années sur leurs visages. Le soir elles ont vingt ans, elles sortent ; on ne les revoit qu'au matin, plus âgées, plus séduisantes encore.

Je passe les journées à la grande table en bois de la cuisine. Je noircis un cahier à spirale de mon écriture régulière, serrée, ces mêmes petites pattes de mouches, disait ma mère, que celles du grand-père de Mauthausen. Je remplis des premières pages. Commence des premiers chapitres. M'épuise sur des premières phrases. Je raye, rature ; je rage. Une cloque blesse mon index.

À l'heure du goûter, les cousins puceaux rentrent et se moquent du grand écrivain ; tu ferais mieux de venir faire du bateau, t'es tout blanc, on dirait un cul. T'as une tête de cul.

Les mots étaient là pourtant. Tout était là. Les adjectifs, les adverbes, les propositions subordonnées, les pronoms relatifs, la conjugaison du verbe être au plus-que-parfait et pourtant j'étais incapable d'écrire. Ils m'emmerdaient, ils me sortaient par les yeux les mots. Quoi ? J'avais écrit un poème minable et j'avais été catalogué écrivain de la famille. Et puis quoi encore ? J'aurais disséqué une grenouille, crevé un chat que j'aurais été le médecin de la famille, l'assassin de la famille. Séduit une cousine acnéique, le don Juan de la famille. Et puis quoi encore ? Mon frère était-il le simplet de la famille ; celui dont on ne prononce jamais le prénom pour qu'il n'existe pas tout à fait. Et puis quoi encore. Claire, un jour, la maumariée de la famille ? Les rêves des autres nous damnent. Aux chiottes !

Le dernier matin des vacances, alors qu'elle rentrait de sa dernière nuit quelque part, ma mère me trouva dans la cuisine. Elle s'assit ; elle sentait l'amour, l'alcool, le sel. Soudain, sa main rejeta en arrière une mèche de cheveux, je ressentis aussitôt la dimension terriblement érotique qu'elle mit dans ce geste, à son insu. Je fus stupéfait. Elle avait trente-neuf ans. Juste trente-neuf ans. Seulement trente-neuf ans. L'âge des amants après les enfants. Elle était à l'apogée de sa beauté, elle en maîtrisait tous les arcanes. Cela ne dura qu'une seconde. Son geste achevé, son visage se pencha vers la page de mon cahier, le roman d'une seule page. Elle essaya de déchiffrer les mots cachés dans l'illisible écriture et il se passa cette chose formidable. Elle ouvrit ses bras et me serra contre sa poitrine, moi le fils grand comme un homme maintenant, plus grand que mon propre père ; elle me serra comme elle ne l'avait plus fait depuis des siècles. J'étouffais, quel bonheur. Elle murmura à mon oreille, d'une voix cassée par les rires des nuits récentes, usée par le tabac à la menthe, je sais que tu écriras un jour Édouard, que tu raconteras tout ça. Nos fissures. Nos peurs. Il faudra bien que tu trouves les mots pour demander pardon.

Puis l'étau de ses bras se desserra, nos corps se désunirent.

Écrire guérit.

Ce soir-là, Dumbo était à nouveau dans notre cuisine. Le coup de soleil avait disparu, son nez pelait. Ses oreilles semblaient plus grandes ; était-ce le poids de l'audiophone ? Ma mère était assise à côté de lui. Elle fumait cigarette sur cigarette comme Léa Massari dans *Les Choses de la vie*. Son visage avait gardé un léger bronzage mais dans ses yeux, la lumière vacillait, comme au matin un feu qu'on n'alimente plus.

L'heure était grave. L'heure était aux choix d'une vie. C'est bien beau d'avoir le bac Édouard, mais ça ne sert à rien. Tu dois faire des études. Ton père s'inquiète pour toi. Il ne peut pas te prendre au magasin. Je m'inquiète pour toi. Tu es fait pour écrire. Mais pas du tout, il est fait pour le droit, comme mon père. Je te signale qu'écrire ne rapporte rien. Écrire ! Regarde Bernard Narbonne, qui se souvient de ses livres ? Il n'a pas dû gagner mille francs ! Laisse-moi rire. Toi laisse-moi parler ! Tu ne veux tout de même pas en faire un chômeur ? Tu me coupes tout le temps. C'est ça, il va faire du droit et pourquoi pas médecine ? Son bac, c'est un coup de chance, il l'a eu à trois dixièmes, on ne construit pas une vie sur trois dixièmes de point, à trois dixièmes de l'échec ! Et si

je te disais, vieux sourd, qu'il a écrit un roman cet été,
un roman magnifique ? Un roman ? Oui, ton fils, un
roman ! Parce qu'il te l'a fait lire, ce roman ? Oui. Parfaitement. Ça t'en bouche un coin, hein ? (*coin-hein*, je
n'y suis pour rien). Et c'est quoi le titre, *Les Mots pour
le dire* peut-être, ce torchon de psychanalyse, ah ? Justement, vieux singe, je n'ai pas à te le dire, un titre
c'est une surprise.

Ma naissance avait fait d'eux un père et une mère.
Ils avaient été fiers. Fait risette. Areuh. Guiliguili.
Goulougoulou. Ils avaient trouvé l'enfant parfait.
Ils avaient fait des milliers de photos. Ils s'étaient
réveillés la nuit pour s'embrasser, bénir la chance
qu'ils avaient ; ils avaient pensé un peu honteux mais
non sans déplaisir à la cousine Mado qui ne pouvait
pas en avoir. Ils étaient convaincus que leur joie était
sans limites, que ces secondes rares seraient éternelles,
que cette béatitude ne les quitterait plus et dix-huit
ans plus tard, nous étions tous les trois réunis dans
la cuisine jaune pâle. Ce qui les avait unis les divisait.
J'étais devenu leur patate chaude. Leur chambre à
part depuis longtemps. La surdité de l'un. Le petit
cancer de l'autre.

La messe fut dite. Dumbo porta les mains à ses
oreilles, coupa son audiophone. Ma mère alluma une
nouvelle cigarette au mégot de la précédente, se brûla,
cria et merde ! et c'en fut terminé.

— Fais ce que tu veux, c'est ta vie maintenant.

Ce fut la dernière fois que je les vis ensemble dans
cette vie. Mon père quitta la cuisine. Je l'accompagnai.
À la porte, il murmura :

— Je serais heureux de lire ton roman.

Mais je n'ai pas de roman, papa. Je n'y arrive pas. Je ne suis pas un guérisseur.

Ma mère était toujours dans la cuisine. Nos regards se croisèrent un instant mais ne dirent rien. Je tendis la main, attrapai une cigarette. Elle alluma son briquet, m'offrit la flamme. J'y brûlai mon dernier lien d'enfance.

Je montai rejoindre ma sœur dans sa chambre rose. Du musicassette on entendait Annie Chancel alias Sheila chanter *Hôtel de la plage*. Claire était allongée sur le lit, elle lisait dans *Marie Claire* le témoignage d'une femme qui s'était donnée à un homme et qui avait été trahie. Je m'allongeai à côté d'elle. Elle tendit sa main, je lui abandonnai la cigarette.

— Tu t'en vas pour toujours ? demanda-t-elle.

Elle avait remplacé les posters de Joe Dassin sur les murs par ceux de Thierry Lhermitte, John Travolta, Al Pacino, Richard Gere. Elle était presque jolie. D'ici deux à trois ans, elle aura perdu les disgrâces de l'adolescence. D'ici sept ans, elle rencontrera le prince charmant qui ira un matin chercher du champagne, comme les allumettes dans la chanson de Reggiani. Mais qui ne reviendra pas, lui.

— Tu t'en vas pour toujours ? Moi, j'aime bien quand t'es là. Ça fait qu'on est une vraie famille.

Elle me tendit la cigarette.

— T'as déjà couché ? J'en ai envie, mais ça me fout les chocottes.

Je souris.

— Oui.

Ce soir Claire a l'âge de mon Anglaise replète et babillante. Elle a le même désir qui effraie et qui est l'objet même de ce désir-là. Elle est pressée déjà d'en finir avec les socquettes blanches, les jupes plissées soleil, les cols Claudine ; d'en découdre avec les regards des vieux de trente ans ; pressée de monnayer ce trésor qu'elle possède entre les cuisses contre une entrée dans la communauté des femmes.

— C'était bien ?

— Je ne sais pas… Oui. Oui, c'était bien.

La porte de la chambre s'ouvrit sans bruit. Notre frère entra. Un enfant dans un corps d'adulte dans un pyjama Mickey. Il se hissa sur le lit, se coula au-dessus de notre sœur comme un serpent et vint se blottir contre moi. Claire eut envie de rire. Mais il ouvrit ses bras, comme deux ailes qu'on déploie. Les ailes vinrent m'embrasser puis me serrer puis m'étouffer. Dans le silence qui suivit, sa voix s'éleva, haute, claire, aérienne ; l'ange chantait « *L'ombre s'enfuit, adieu beau rêve/Où les baisers s'offraient comme des fleurs/La nuit fut brève/Hélas pourquoi si tôt fermer nos cœurs/À l'appel du bonheur*[1] *?* ».

Nous traversâmes la nuit tous les trois ; fille et fils de Dumbo et de l'amante. Au matin m'attendait le chaos de la vie d'adulte.

---

1. Chanté par Tino Rossi (1939). Paroles de Jean Loysel. Musique : Frédéric Chopin, Opus 10 n° 3.

QUATRE-VINGT

CHAPITRE II, PRINCIPES

120-1. – Image fidèle, comparabilité, continuité de l'activité.

120-2. – Régularité, sincérité.

120-3. – Prudence.

120-4. – Permanence des méthodes.

Nous n'en étions qu'au chapitre II du programme des principes de comptabilité générale et déjà, je prenais l'eau.

Je m'étais retrouvé en comptabilité, faisant partie de ces pauvres types qui à dix-huit ans renonçaient aux rêves de leur âge. Pour les garçons : un métier fabuleux, une copine belle comme cette Linda Evangelista qui venait de commencer sa carrière à Niagara Falls, une 911 targa, beaucoup d'argent pour tout ça et plein d'amis envieux. Pour les filles : un corps et des seins fabuleux, comme ceux de cette Linda Evangelista qui venait de commencer sa carrière à Niagara Falls, des types qui nous désirent et bavent et parmi eux un poli, riche, un bien élevé qui nous ouvre la portière de sa Porsche targa et nous parle mariage et plein de copines jalouses. À dix-huit ans, la grisaille de nos rêves annonçait celle de nos vies à venir. Je me souvins alors des paroles de cette chanson à la mode quelques années plus tôt du diaphane Gérard Lenorman : *Je revois les yeux tendres et les visages tristes/Qui autour de moi écoutaient/Et pendant les leçons dans mon coin je rêvais*[1] ; et je sus que l'enfant dont il fredonnait la mélancolie, c'était moi.

Deux mois passèrent. J'avais renoncé à comprendre les chiffres et cherchais, pendant les heures de cours, des idées de roman. L'amphi était glacial, l'hiver approchait et Monique était toujours assise au premier rang. Monique. Ce n'était pas drôle d'avoir les dix-huit ans jolis et de se prénommer Monique quand on avait entendu le sketch de Coluche, *vous savez comment on l'appelle dans mon quartier ? Monique deux qui la tiennent trois qui la niquent.*

Mais ce n'est pas pour ça que Monique changera de prénom dix ans plus tard. C'est parce qu'elle n'aimera pas ce que nous serons devenus et qu'elle aussi voudra en guérir.

---

1. Gérard Lenorman, « Les Matins d'hiver ». Paroles et musique de Richard Seff et Daniel Seff, 1972.

Mes parents divorcèrent cet hiver-là. Mon frère fut placé dans un établissement spécialisé. Ma mère et ma sœur gardèrent la grande maison vide de Valenciennes pour les dix ans à venir. Quant à Dumbo, il profita également de ce divorce pour aussi quitter sa mère et s'installer chez Anne Hannah (*Anne Hannah*, je vous jure que je n'y suis pour rien), une femme de quinze ans sa cadette, visiteuse médicale charmante et volubile dont seule la blondeur des cheveux put permettre d'établir un lien avec la célèbre broméliacée que chantait son nom.

J'occupais un petit studio rue de Wazemmes à Lille, un studio de garçon, sans confort aucun. Le lit faisait office de chaise, fauteuil, canapé et table – je m'asseyais alors par terre pour y poser une assiette ou les devoirs à faire. Mais je n'alignais pas deux chiffres. Je voulais aligner les mots. C'était mon destin. Celui que l'émerveillement niais avait tracé.

Je me remis alors à lire. *Un taxi mauve*, *L'Agneau carnivore*, *Oh ! les beaux jours*, *En attendant Godot*, le dernier Goncourt, *Rue des boutiques obscures*. Les mots des autres réveillaient l'imagination. Armé du Parker offert par ma mère, j'écrivis toutes les nuits.

Possédé. Terriblement heureux. Ma main ne connaissait plus la fatigue, aucune crampe ne venait à bout de mes doigts. Je n'eus plus faim ni soif. Je volais. Chantais. Rejoignais mon frère. Les mots coulaient. Les feuilles se teintaient de noir. Une nuit, j'écrivis vingt-deux feuillets ; m'endormis à l'aube, épuisé, les yeux brûlants, fiévreux. J'allais rater ce jour-là le cours de comptabilité où l'on traitait du Chapitre III, Comptes de charges et de produits, qu'importe. J'étais en train d'éclore.

Je me réveillai tard, dans l'après-midi. Je relus les chapitres. Deux fois, trois fois, dix fois. Fumai cent cigarettes. Souris, fier de certaines phrases, du choix de certains mots ; d'un dialogue ici, un rebondissement là ; ému par le caractère d'un personnage qui s'inspirait de la faiblesse de Dumbo, d'un autre qui puisait dans les traits de l'amante sa puissance érotique. Mais quelque chose appela la nausée.

Soudain, je vomis ma bile. Elle souilla mes pieds nus. Je me laissai tomber sur le lit. Mon corps écrasa les feuillets recouverts de pattes de mouches. Le bruit qu'ils firent sous mon poids ressembla à un cri qui allait me hanter le reste de ma vie. Ce que j'avais écrit était nul.

Écrire ne guérit pas, papa. Ça te *tue*.

Monique avait mon âge.

Elle sortait depuis cinq ans avec un sportif qui courait le huit cents mètres (son meilleur chrono s'établissait à 1'45"17) et se formait à contrecœur à la profession de carreleur de piscine puisqu'il pressentait qu'il lui manquerait toujours les trois secondes qui pourraient faire de lui une célébrité mondiale. Ils étaient chacun le premier amour de l'autre ; elle était sa promise, lui son élu. Ils avaient prévu de se marier après son examen à elle et une fois cette formalité passée Monique rejoindrait le club de tennis où enseignait son beau-père, comme aide-comptable premier échelon. Leur vie semblait toute tracée, même si on peut raisonnablement supposer que carreleur de piscine à Lille ne laisse pas entrevoir une carrière exceptionnelle.

Ceci dit, imaginez un enfant dans l'année qui suit le mariage, un crédit pour une petite maison à Wasquehal ou à Ronchin, un dimanche sur deux passé chez les beaux-parents, une 104 en leasing, des vacances en camping dans un an, en club dans trois et vous verrez que toutes les ambitions de carrière se calment. On commence à apprécier ce qu'on a. Le soir, on ouvre une 33 Export, on allume la télé, on rote doucement devant la météo, on finit par se gratter les couilles et trouver qu'on est très bien comme ça.

Je serai écrivain, dis-je à Monique en ce troisième lundi de janvier 1979 au restaurant universitaire où nous déjeunâmes ensemble pour la première fois. Je *dois* être écrivain. Elle hocha plusieurs fois la tête. Elle sourit de nombreuses fois, même lorsque ce que je disais ne prêtait pas à sourire. Elle trembla même, lorsque je lui servis de l'eau. Elle n'eut pas faim. Elle poussa délicatement sa brandade de morue vers moi. Ses mouvements de tête m'encourageaient, je parlai beaucoup, je racontai mes années de prison, *oups !* de pension, le lapsus la fit rire ; je passai l'Anglaise replète et les rares qui suivirent sous silence et ce fut le temps qui passa et nous ratâmes l'heure du cours. Nous fûmes les derniers à quitter la salle du resto U. C'était une salle dont le sol et les murs étaient carrelés aux trois quarts de leur hauteur. Est-ce à cause de cette curieuse sensation d'être dans une piscine vide que Monique me parla de l'athlète ? Je suis avec quelqu'un mais je ne suis pas sûre, lâcha-t-elle. Est-ce à cause de notre cours raté qu'elle se mit à rêver de liberté ? S'il n'y avait pas mon beau-père, je n'aurais jamais fait d'études d'aide-comptable. Qu'aurais-tu fait ? demandai-je. Rien, t'aider à écrire, répondit-elle.

Sa réponse fut le début et la fin.

Nous nous séparâmes. Elle courut pour tenter d'arriver à l'heure du prochain cours qui abordait *le principe de la partie double*. Je rentrai rue de Wazemmes. Je fumai beaucoup, vautré sur le lit, les yeux très vite irrités par le brouillard âcre. J'imaginai coucher avec Monique. Elle avait un gros cul. Mais c'était tout. Je n'allai pas en cours le lendemain. Peur de croiser Monique, peur d'un truc compliqué. J'allai au cinéma. On y jouait *The Deer Hunter* de Michael Cimino. Le visage sans âme de Nick (Christopher Walken) me hante encore. Il était arrivé là où même l'amour ne sauve plus. Et d'amour qui ne sauve plus en rédemption, je me mis à penser à mon frère, là-bas, dans son établissement blanc.

En sortant de la salle de cinéma, j'achetai un mange-disque, beaucoup de piles, tous les quarante-cinq tours disponibles de Tino Rossi, Luis Mariano et Les Compagnons de la Chanson. Je fis faire un paquet cadeau, demandai au commerçant de l'expédier à mon frère. J'suis pas postier, protesta-t-il. Je posai cent francs sur le comptoir et il changea de métier.

Il faisait nuit lorsque je rentrai, des chips, un pack de bières sous le bras. Monique était assise sur les marches. Elle sourit. De la buée s'envola de ses lèvres jointes. J'ouvris la porte, nous entrâmes et elle m'embrassa. Sa langue plongea loin dans ma bouche ; une langue fraîche, douce, un petit papillon. Ses bras me serrèrent davantage, les chips s'écrasèrent entre nous et nous nous mîmes à rire sans cesse de nous embrasser.

— Je l'ai quitté, dit-elle.

Quand sait-on qu'on aime ? Le soir ou au matin ?
Quand il est encore temps, ou déjà trop tard ?

Je n'aimais pas Monique ; je le sus tout de suite.
J'avais lu Sartre en classe de philosophie. Il écrivait
qu'aimer était avant tout vouloir être aimé. Gide aussi.
Je ne veux pas être aimé, écrivait le pédéraste, je veux
être préféré. Être aimé, être préféré, même combat.
Même lâcheté. Nous nous repaissons tous du désir
que l'autre a de nous. Pas d'amour ici. Juste le désir du
désir de l'autre. Mais voilà. Nos lâchetés triomphent.
Nos héritages maudits refont surface.

Mes bras relâchèrent doucement Monique. Sa respiration se fit alors plus calme. Elle passa la main dans
ses cheveux et eut un gracieux mouvement de tête.
Ses yeux ne croisèrent pas tout de suite les miens,
elle regarda autour de nous, pour la première fois :
la pièce sans confort, le lit défait, les livres au sol, la
bière, toute cette crasse d'ado finissant, d'homme nais-
sant et leur porta – cela ne me frappa pas sur le coup –
un regard de propriétaire déjà. Tout s'était décidé en
deux secondes et je n'avais pas eu mon mot à dire.

Son regard revint se poser sur moi. Elle sourit,
caressa ma joue, merci Édouard, je suis heureuse
merci, à demain. Et elle disparut.

s'agenouilla, prit son cadet dans les bras, murmura mon bébé, mon bébé, mon tout petit. La plume des doigts du géant vint cueillir une larme sur sa joue, la porta à sa bouche, l'avala. Claire chuchota.

— Il met maman dans son cœur.

Alors je sortis le Walkman de ma poche, y branchai le casque et le tendis vers son visage. Il eut un mouvement de recul. Je mis les écouteurs à mes oreilles, cela le fit rire. C'est de la musique qui entre dans tes oreilles, qui chante dans ta tête, tiens. Il posa le casque sur sa tête comme il m'avait vu le faire, la chanson de Cabrel entra en lui. Tout son corps se relâcha, ses ailes se replièrent et la serre qui tenait la poignée du mange-disque s'ouvrit délicatement ; des pétales de fleurs aux premiers rayons du soleil. Puis il se leva, se mit à courir, courir, courir. Sa bouche chantait, mais aucun son n'en sortait. Il gardait la musique en lui, il gardait les mélodies, les mots, la grâce. Il s'enferma ce jour-là dans le mutisme. Nous n'entendîmes jamais plus son chant clair, ses mélopées envoûtantes, jamais plus sa voix d'ange. J'arrêtai le mange-disque, la voix de Fred Mella se tut. Et ce fut le silence.

Au retour, ma mère conduisit vite. Nous faillîmes percuter de front une motocyclette engagée en même temps que nous sur la voie centrale. Ma mère donna un violent coup de volant, freina brusquement, stoppa l'auto sur le bas-côté. Elle tremblait. Elle semblait vidée de son sang. Claire fut terrifiée. Maman qu'est-ce que t'as ? Les camions faisaient trembler la voiture à leur passage. Puis, alors que la pluie redoublait, que la nuit tombait, la voix de notre mère claqua : j'y retourne, je ne peux pas le laisser là-bas, je ne peux pas. Elle mit le contact. Le moteur rechigna un instant puis démarra. Elle s'apprêtait à enclencher la première vitesse quand elle s'affaissa sur le volant à la manière d'un accordéon. Claire hurla. Je la ramenai contre le dossier, pinçai ses joues. Elle respirait faiblement. Ses yeux restés ouverts étaient deux perles d'eau. Elle perdait un fils de son vivant et n'en guérirait jamais. Aucun mot n'y pourrait rien. Toutes ses peurs ancestrales de mère étaient là et la déglinguaient, elle, la femme forte, la fumeuse de Royale Menthol, la briseuse de mots, *salière*, *assiette*, *verre*, *broc*, *ramequin*, l'amante magnifique, abandonnée, libre. Je l'aidai à glisser à la place du passager et pris le volant. Claire protesta parce que je n'avais pas encore le permis de conduire. Je démarrai et affrontai les monstres d'acier, la pluie diluvienne et les ombres de la nuit pour nous ramener tous vivants.

Dans la cuisine jaune, nous qui fûmes cinq n'étions plus que trois. Claire se souvint des repas d'avant, des poèmes ridicules, des mots cassés, des frites qu'on avait un jour sucrées par inattention et qui furent immangeables, des mots que prononçait notre frère, *lincesse*, *onone*, *euniertudors*, *éouare*, de lui encore, qui était un bébé si beau, la bouche en chapeau de gendarme, ses longs cils de fille. De ce jour où il ramena des roses, les mains ensanglantées. Tu crois qu'il reviendra vivre un jour avec nous ? demanda Claire. L'amante baissa les yeux. Je ne crois pas. On n'a qu'à être tous malades, argumenta Claire, comme ça on serait tous ensemble. Pourquoi on n'est pas une famille comme les autres maman, pourquoi ils sont partis, papa et lui ? Ils ne sont pas partis, ils se cachent en eux-mêmes. Ben j'aimerais mieux qu'ils se cachent dans la maison, dit Claire tandis qu'une larme coulait sur sa joue, on les chercherait et on les trouverait. Tu te souviens, demanda ma mère à Claire, ce que disait ton frère quand il avait peur ? Claire renifla. Il disait *eur, eur*. Oui, et toi tu croyais qu'il voulait dire *peur*, enchaîna ma mère, mais il disait *cœur, cœur*, parce que c'est là qu'il voulait se cacher lorsqu'il avait peur Claire. Dans ton cœur.

— Tu n'écriras jamais un livre avec des chiffres.

Monique me poussa à quitter le cours de comptabilité. Je t'aiderai, je travaillerai, je ferai caissière, vendeuse, ramasseuse de balles, n'importe quoi, écris ton roman, écris-moi un vrai livre.

Ah, les mots ensorceleurs, sournois ; les mots d'amour.

Je quittai donc la Faculté, retournai dans le studio rue de Wazemmes qu'elle avait aménagé en bonbonnière. Il y avait des coussins sur le lit, des rideaux assortis aux fenêtres. C'est du tissu Laura Ashley, précisa-t-elle le sourire fier, c'est très beau. Elle avait trouvé dans un vide-grenier un bureau d'écolier sous lequel j'avais du mal à passer mes grandes jambes ; elle le nommait le bureau d'écrivain débutant et je souriais comme un idiot.

Aux murs, elle avait accroché quelques posters de David Hamilton dont elle avait adoré le premier film *Bilitis*, avec Patti D'Arbanville et Bernard Giraudeau. Je lui parlai de la chanson de Cat Stevens pour Patti D'Arbanville : *My Lady D'Arbanville/Why do you sleep so still?/I'll wake you tomorrow/And you will be my fill/Yes you will be my fill*. Mais elle n'était pas au courant.

Je m'installai au bureau d'écrivain débutant. Elle y avait posé six Bic cristal, trois cahiers et une enveloppe. À l'intérieur, une photographie d'elle. Au dos, une dédicace. Je crois en ton talent, travaille bien, je t'aime, M (*aime-M*, sa rime). J'ouvris l'un des cahiers, ôtai le capuchon de l'un des stylos. Voilà. J'y étais.

Ce qui fit tilt, c'est que cela avait eu lieu à Amiens, au pensionnat. Un grand type encagoulé avait fait feu sur le père aigri. Sa cervelle avait repeint le mur, comme on dit, puis le tueur était sorti calmement du bureau au moment où les pensionnaires se ruaient hors des classes en hurlant. Il fit feu six autres fois. Cinq corps s'effondrèrent, beaucoup de sang fut répandu et bon nombre d'élèves y patinèrent, certains glissèrent, s'affalèrent sur les corps poisseux. L'assassin fut dehors au moment où rentrait une classe d'éducation physique. Il pointa son arme sans tirer. Le groupe s'essaima.

Tandis que le bruit des sirènes s'intensifiait, M. Delarue, professeur de mathématiques, tenta un plaquage sur le criminel mais rata sa prise. On entendit un coup de feu au moment où le break 504 de la gendarmerie pila pile devant le portail. Trop tard. La tête du rugbyman amateur reposait déjà sur un oreiller de sang. D'autres gendarmes se mirent en position de tir. On lança les sommations d'usage. Le tueur ôta sa cagoule. À l'étage, le père directeur le reconnut. Il ouvrit la fenêtre, cria son nom, le supplia de se rendre, de lâcher son arme pour sauver son âme ;

le père directeur affirma que tous les pardons étaient possibles, qu'il était un fils de Dieu comme les autres.

Alors Moncassin à la tête d'assassin comme l'avait décrit ma mère pointa l'arme vide de son grand-père, un PA 35 S calibre 7,65 mm à huit coups vers les forces de l'ordre et avança. Sous sa moustache, il souriait. Trente-sept balles l'arrêtèrent.

Je posai *Nord Matin* sur le bureau d'écrivain débutant. Je tremblai. Revis les mots cruels gravés dans le plâtre des toilettes de la salle de sports, *Moncassin est un porcin.*

J'appelai Dumbo, lui racontai l'histoire incroyable. Tu connaissais le tueur ! Oui, nous avons failli être amis ! Quelle horreur. Anne Hannah se tenait à côté de lui, près du téléphone, pour souligner les mots qu'il n'entendait pas. Elle lui répéta ma question, papa, est-ce qu'on choisit sa vie ou est-ce que c'est elle qui choisit ? Réponds-moi, c'est important. Il y eut un silence. Puis la voix d'Anne Hannah. Il dit que c'est la vie qui choisit. C'est contre ça que tu dois te battre. Avoir le dernier mot. Il s'éloigne, il pleure un peu ton papa, Édouard, attends, il me fait signe. Le bruit du combiné sur un meuble. Elle revient. Il demande aussi si tu peux lui envoyer ton roman.

Dumbo attendait en pleurant un livre que je n'avais pas écrit. Il espérait que j'aie le dernier mot. Que quelqu'un l'ait enfin et rompe avec la fatalité des choses, les héritages encombrants ; ces douleurs qu'on se transmet pour n'être pas seul à en souffrir.

Monique passait tous les soirs. Elle se ruait sur mon cahier, s'installait confortablement sur le lit, calait son corps avec les *très beaux* coussins Laura Ashley et se mettait à lire. Je la regardais, je n'osais parler. Je ne dirai rien tant que tu n'auras pas fini, avait-elle dit, rien.

L'aventure de Moncassin m'avait inspiré l'histoire d'un orphelin de quatorze ans à Montaigut-en-Combraille (Puy-de-Dôme). La Seconde Guerre mondiale va éclater. L'orphelin a le corps d'un homme, l'âme d'un enfant. Il attend sans cesse que sa mère revienne le chercher et, comme mon frère aux ailes d'oiseau, parfois il chante pour que son chant atteigne son cœur mais la musique se perd dans le vent. À l'école on raille sa naïveté. Aux champs, les filles gloussent dans son dos. Les mauvais garçons veulent l'enrôler dans leurs bandes. Il est une sorte de Lennie Small. La guerre éclate. On recrute des volontaires. Il s'engage. Et pour le malheur des moqueurs on lui donne un PA 35 S calibre 7,65 mm.

Barthes publia *La Chambre claire*, Le Clézio *Désert* et Fallet *La Soupe aux choux* lorsque j'achevai la rédaction de mon roman montacutain.

J'étais épuisé, vidé; trop fumé, je toussai, mille éclats de verre dans les poumons. J'étais sale. Je le savais, exulta Monique, je le savais, c'est magnifique, c'est un très beau livre, je suis si fière, oh !

Elle se serra contre moi, sa bouche chercha la mienne, sa main mon sexe. Tu me le dédicaceras, hein ? Le premier, c'est pour moi lapin, c'est le mien. C'est mon livre. Elle commença à me branler. Je quitte compta, je veux être actrice. Ses lèvres se posèrent sur mon gland. Tu écriras pour moi, comme Miller pour Marilyn; je n'ai jamais fait ce que je suis en train de faire, tu es le premier. Je suce pour la première fois. J'éjaculai. Elle avala tout.

Ah, la grâce des écrivains.

Nous passâmes quelques jours au Touquet.

Monique partait tôt à la plage pour éviter le cancer du soleil de midi tandis qu'installé sur le petit balcon de l'appartement, je recopiais mon roman à la machine jusqu'à l'heure du déjeuner. Un midi, alors que je m'apprêtais à rejoindre Monique, une femme de l'âge de l'amante m'aborda. Elle habitait l'immeuble face au nôtre. Tu écris un livre ? Je rougis. Elle sourit, attendant ma réponse. Peut-être apprends-tu à taper à la machine alors ? Je restai muet. Ou peut-être souhaites-tu rester seul quand ton amie va à la plage ? Rouge homard soudain. Bouche sèche. Elle rit. Ses dents très blanches, très petites ; le rose de sa gencive m'excita, précisément ce rose-là ; un rose *porno*. Ses lèvres se refermèrent doucement, comme des jambes qui se croisent. Tu es jeune encore, tu verras, tu me mettras un jour dans un de tes livres. Comme un regret.

Elle s'éloigna, je compris. Mais trop tard. Une femme peut pardonner une maladresse, jamais d'avoir laissé passer une occasion.

Ma mère et Claire nous rejoignirent à la fin du mois de juillet. Monique leur plut tout de suite. Elle s'occupait de tout, organisait les repas, les journées, les sorties. Claire en fit aussitôt sa grande sœur. Elles parlaient jusque tard dans la nuit, elles riaient, elles étaient belles, l'une blonde, l'autre brune, *les Demoiselles du Touquet*.

Je profitai de ma mère comme jamais auparavant, rattrapai le temps perdu, les années sans elle.

Raconte-moi.

Elle aimait Nana Mouskouri, *L'Enfant au tambour* surtout, détestait Mireille Mathieu. Elle avait pleuré quatre ans plus tôt en voyant *Le Vieux Fusil* et considérait Roman Polanski comme un sale type. Je découvris qu'elle était gourmande, lui achetai un kilo de chocolats au Chat Bleu. Elle avait lu deux fois *Au nom de tous les miens* de Martin Gray et oui, elle aimerait bien un jour refaire sa vie. En septembre, elle suivra des cours de théologie à Lille, y rencontrera un unijambiste qui la troublera ; c'est quelque chose dont je me suis aperçue avec Boucher pendant mon analyse, dit-elle alors que nous marchions sur le sable, l'importance de Dieu, de tout ça – sa main pointa l'horizon –, de l'âme. Je trouverai peut-être les réponses. Quelles réponses maman ? Ton frère. Ton père. Pourquoi on me quitte.

Tu étais heureuse avec papa ?

Elle tint à ce que je susse qu'ils s'étaient *vraiment* aimés ; il était beau, les filles lui couraient après, mais ce fut moi qu'il choisit, va savoir pourquoi. J'ai cru mourir quand il m'a demandé cette première danse. J'en aurais fait pipi de trouille dans ma culotte. Qu'est-ce qui est arrivé, maman ? Elle alluma une nouvelle cigarette. Quand il est rentré d'Algérie, tout ce qu'il avait eu d'heureux l'avait quitté. Nous marchâmes un moment en silence. Elle reprit, la voix doucement cassée. À vingt-quatre ans il a tué un fils de son âge dans la Sebkha de Chott Ech Chergui.

Dumbo avait tenu un visage au bout du canon de son MAS 36, il avait appuyé sur la gâchette, son doigt s'était paralysé et les cinq cartouches avaient arraché la tête du sauvage.

Il fut rapatrié en France quasi catatonique, passa quelques mois à l'hôpital militaire de Nancy avant de revenir à Valenciennes. À son retour, mon grand-père lui offrit un poste de directeur au magasin, ma grand-mère hâta le mariage de peur que la patiente promise ne s'impatientât tout à fait et découvrît les premières cicatrices.

Dieu que j'ai aimé ton père, conclut-elle en allumant une nouvelle cigarette, mais lui n'a plus jamais été capable d'aimer après ça.

Peut-être que ton frère est le fantôme de ce gamin de la Sebkha. Notre punition.

Le vent s'était levé. Le sel qui dansait dans l'air piquait les yeux ; des larmes blanches balafraient mes joues, lavaient sa peine, celle de Dumbo.

Je pleurais nos illusions perdues, les derniers mots que nous n'avions jamais. Elle glissa sa main sous mon bras. Je posai la tête sur son épaule.

Nous marchâmes ainsi jusqu'à l'appartement. La voisine me croisa au bras de cette femme de son âge. Elle sourit, je lui rendis son sourire et ce fut une seconde parfaite.

Nous décidâmes de nous installer ensemble, davantage comme des colocataires qu'un véritable couple. Monique avait dit qu'elle m'aimait. Je n'avais rien dit, rien promis.

Nous nous installâmes au rez-de-chaussée d'une grande maison rue Barthélemy-Delespaul. Il y avait une grande pièce avec cuisine, deux petites chambres – chacun la sienne, une cour.

Quand elle eut fini de l'aménager, j'eus l'impression d'habiter un showroom Laura Ashley.

Aux posters de *Bilitis* s'ajoutaient désormais ceux du dernier film du photographe, *Laura ou les ombres de l'été* avec les inoubliables James Mitchell et Maud Adams. Sa mère lui avait envoyé deux étagères Napoléon III. La mienne nous fit parvenir douze assiettes à soupe, survivantes fêlées de l'héritage d'une arrière-grand-mère. Monique s'empressa de descendre le carton des souvenirs de porcelaine dans la cave et je n'en entendis jamais plus parler.

Dumbo avait raison. Si on n'a pas le dernier mot, c'est la vie qui l'a.

Dans le train qui me ramena ce jour-là de Paris, je ne décolérai pas.

J'avais rencontré Matthieu Galey, critique littéraire, écrivain, mais surtout membre du comité de lecture chez Grasset, dans sa ravissante petite maison de Pigalle. Nous avions passé une petite heure à parler de mon livre. Il avait prononcé des mots merveilleux, *potentiel*, *promesse*, *imaginaire*, *écriture*, *puissance*. Mais sa bouche avait aussi craché des lames de rasoir, *cheval fou*, *désordre*, *manque de rigueur*, *impatience*. En entrant chez lui une heure plus tôt, j'avais vu mon rêve comme Soubirous le sien : la célèbre couverture jaune beurre frais, mon nom, le titre en vert foncé puis en bas, le nom de l'éditeur. En entrant chez lui une heure plus tôt, je fus Rimbaud, Radiguet, Sagan ; j'entrais dans la famille des génies de vingt ans, j'allais recevoir l'onction de l'auteur à vingt-trois ans des *Vitamines du vinaigre*… En termes d'aigreur, j'en fus pour mon grade. L'Homme de Lettres me raccompagna jusqu'au perron. Il me tendit une main amicale. Sa poignée fut ferme mais douce, son sourire charmant, son encouragement terrifiant : réécrivez votre livre plus calmement et envoyez-le-moi directement. Je balbutiai un merci, courus jusqu'à la station de métro Blanche, je bousculai les passants, me fis insulter, traversai la rue Coustou sans un regard autour de moi, gros coup de patin, une camionnette m'évita de peu.

Je restai longtemps dans le froid venteux de la gare du Nord. Je ne voulus pas rentrer, laissai passer trois trains. J'imaginai une fuite, comme celle de l'admirable Monsieur Monde de Simenon ; je me rêvai un nom nouveau, une enfance nouvelle, loin des poèmes de ma bêtise. Je regardai le panneau des départs. Calais, Albert, Lens. Ce n'était pas des destinations de fuite ça, juste des lieux de malheur, des villes pluvieuses, ce n'était pas Marseille l'étouffante, la violente, pas le dernier train de Monsieur Monde. Non. Je ne voulais pas affronter Monique, sa colère, son mépris peut-être. Elle allait me découvrir ordinaire, me priver de l'opium de son adoration littéraire.

Un clochard voulut partager son picrate.

Plus tard, une jeune fille, les yeux rouges, me demanda une cigarette. Je lui tendis mon paquet et comme il n'en restait qu'une, elle la refusa, c'est ta dernière, souffla-t-elle, j'vais pas t'la prendre quand même. Le temps passa. Il fit soudain très froid et je fis une erreur. Je montai dans le dernier train pour Lille.

J'en fis une deuxième. Je ne suivis pas le conseil de Matthieu Galey.

Monique avait invité Claire et notre mère. Elles avaient préparé un repas de fête, ma sœur avait dessiné une petite banderole *Bienvenue à notre écrivain préféré*. Monique avait mis de la musique. Elle aimait alors les chansons d'Yves Simon et passait en boucle la BO de *Diabolo Menthe*.

Lorsque j'entrai, elle sauta à mon cou, embrassa furtivement ma bouche, chuchota je suis si fière, glissa son bras sous le mien et tourna de façon à ce que nous fussions face à ma mère et ma sœur. J'eus une seconde l'impression d'être son trophée. Ma mère avait une cigarette aux lèvres, deux centimètres de cendre ; elle était belle ; Gena Rowlands (rousse) souriait. Monique nous a dit, dit-elle. Je suis contente pour vous deux, pour votre livre. Elle nous a raconté qu'elle t'avait assisté, qu'elle l'avait sorti de toi, tu lui dois une fière chandelle Édouard. La cendre tomba sur ses genoux et moi sur le cul. Elle dit aussi que ce que tu as écrit sur moi dans ce livre est très beau, même si ce n'est pas tout à fait moi, s'empressa-t-elle d'ajouter, puisque apparemment il s'agit d'une mère absente. Dans son coin, Claire savourait l'instant, tu te rends compte, *tu vas être célèbre* !

À table, ma mère mit les pieds dans le plat. Vous n'avez jamais pensé à vous marier ? La langue Lucullus faillit m'étouffer. Monique rosit. Prit ma main. Je ne sais pas si Édouard est prêt, lâcha-t-elle. Moi je suis prête ! cria soudain Claire, déclenchant nos rires, il faut juste qu'il soit gentil et beau comme Joe Dassin et qu'il fasse sa demande à genoux ! Dis oui, Édouard, dis oui, s'il te plaît.

Pourquoi n'ai-je pas osé le dernier mot ce soir-là ? Pourquoi la joie de Claire à l'idée de ce premier mariage dans la famille m'enthousiasma ? Pourquoi les yeux brillants de l'amante m'hypnotisèrent ? Pourquoi nos lâchetés l'emportent-elles toujours papa ?

Plus tard, Monique vint me rejoindre dans mon lit. Coula contre moi. Son corps était chaud, ses mains moites. Elle chuchota à mon oreille, voulut savoir quand mon livre sortirait, combien d'argent nous allions gagner. Mais je n'entendis pas, fils de Dumbo.

Ce fut un mariage simple.

Nos mères avaient organisé la cérémonie ; elles avaient tenu à la couleur vert d'eau des bouquets, avaient acheté des chapeaux du même vert et fait reprendre leurs tailleurs ; elles avaient eu un sourire fier lorsque l'adjoint au maire nous avait déclarés unis. Dans la salle, les gens applaudirent. Les cousins puceaux se précipitèrent pour embrasser la mariée. Ma mère embrassa ma belle-mère. Le professeur de tennis me serra la main, souhaita bonne chance. Des gens que je ne connaissais pas présentèrent leurs vœux ; parmi eux un très beau gars, me dépassant largement d'une tête. Il me félicita mais son regard me fit froid dans le dos. Puis il s'éloigna. Sans courir. Alors je sus. Je tournai la tête, Monique était dans ses bras, ils étaient immobiles ; on aurait dit une statue, comme celle des amants pétrifiés par Jules Berry dans *Les Visiteurs du soir* dont les cœurs battent encore et encore. Le baiser d'adieu de Monique au sprinter avait la passion d'un baiser de retrouvailles. La main de ma belle-mère nouvelle tomba sur mon épaule, comme la fiente d'un oiseau, ne t'inquiète pas, chuchota-t-elle, elle est heureuse avec toi, elle n'ira pas courir le guilledou ; tu sais qu'il est apprenti chez un certain Piotr Skrzypquelquechose ? L'amante ne m'avait jamais appris à quel point les mères sont menteuses quand il s'agit de leurs petits.

Je suis heureuse pour toi, dit Claire, mais c'est quand même dommage que vous ne vous soyez pas mariés à l'église, c'est beau quand tout est blanc. Il y eut un petit blanc justement. À cause de *blanc*, nous pensâmes à notre frère dans l'établissement blanc ; à la cruauté des docteurs qui avaient refusé de le laisser être avec nous aujourd'hui. Il est maintenant entré en lui-même, disaient-ils, il ne sort plus. Il chante mais nous n'avons pas le son. Tout se sclérose. Ils parlèrent de syndrome réflexif sans dual séparable. L'un des hommes de science avança une théorie selon laquelle les causes étaient physiologiques : il avait remarqué que le complexe amygdalien était plus gros chez ce type d'enfants. Un autre tenta une métaphore. C'est comme la Terre, mais tout ce qui en fait la Terre, l'homéostasie, l'oxygène, l'eau, les cellules sont à l'intérieur, ce qui n'en fait plus la Terre, mais autre chose. Mais quoi ? Moi, je savais qu'ils mentaient. Qu'il avait des yeux qui nous voyaient encore, des ailes qui pouvaient le conduire jusqu'à nous.

— Tu crois qu'il est heureux ? demanda Claire.

— Non, mais nous non plus.

Et notre peine se perdit puisqu'il fut temps de libérer la salle pour le mariage suivant. Nous nous dirigeâmes vers la salle des fêtes que nos mères avaient louée. C'est alors que je vis Dumbo. Il portait un costume que je ne lui connaissais pas. À ses côtés se tenait Anne Hannah, dans une jolie robe claire. Elle avait un petit bouquet dans les mains. Ils étaient beaux. On aurait dit que ces deux-là étaient les prochains mariés. Il me fit un petit geste de la main. Je m'approchai de lui. Il m'embrassa. Mon Dieu, il y avait si longtemps.

— Tu vois, quand on ne fait pas attention Édouard, c'est la vie qui choisit. Et elle manque parfois de jugeote.

Nous fûmes des fruits, soudain nous étions des arbres.

J'avais vingt et un ans ; fils d'une femme dont la beauté s'éteignait et d'un homme qui attendait de couler. J'étais marié à une colocataire qui rêvait de devenir actrice. Et j'avais un roman à réécrire *plus calmement*.

Au magasin les affaires étaient mauvaises. Dumbo avait tenté de faire face. Il avait fermé le rayon mercerie et confection pour le remplacer par un *espace* sous-vêtements de la marque Éminence, persuadé que jamais un homme digne de ce nom n'irait acheter ses slips au même endroit que ses asperges, son lait et son vin. En plus des sous-vêtements, il proposait la nouvelle Eau de toilette Éminence que l'*Officiel Homme*, dans son numéro 17, qualifiait alors de « senteur d'une parfaite netteté séduisante virile ». J'avais soufflé à Dumbo que la proximité de sous-vêtements et d'un parfum, fussent-ils de la même marque, pouvait prêter à confusion. Il resta sourd à ma remarque. Ce nouvel espace s'avéra vite décevant. Il tenta alors d'ouvrir des *espaces* à d'autres marques mais toutes refusèrent poliment. Mon grand-père paternel prédit une apocalypse douloureuse, mais rien n'y fit ;

Dumbo s'accrocha, lança un rayon tissus non feu (Varia, Trevira et DFR 300) pour satisfaire aux nouvelles lois mais celles de la grande distribution étaient impitoyables. Je compris alors que la mention *De Père en Fils depuis 1830* qui ornait le fronton du magasin s'arrêterait avec ce fils-là. Je sus que mon père était le dernier fils. Qu'il serait le fossoyeur de la lignée commerçante de notre famille. L'ironie de mon statut de premier fils ne m'échappa pas ; désormais j'étais un arbre. À moi désormais de créer ma généalogie.

Je m'inquiétai. Je fus quelque temps d'humeur mauvaise. Monique l'imputait au stress de la sortie prochaine de mon livre. Elle ne savait pas, je ne lui avais rien dit. Tu vas être un auteur, c'est normal d'avoir peur (*deux hexasyllabes*, mon Dieu, pas elle). Pense à *Apostrophes*, imagine notre livre dans la liste des best-sellers, imagine notre vie. Ma colocataire épousée croyait en moi plus que tout ; commence un nouveau livre, s'il te plaît. Les jours passaient, sa beauté s'épanouissait. Elle aimait faire les boutiques. Maman m'aide pour l'instant, me rassurait-elle. Lorsqu'elle rentrait, j'avais droit à un défilé de mode privé. Elle adorait alors que je la prisse dans les papiers de soie des emballages. Le froissement l'excitait. Elle avait, je suppose, l'impression d'être elle-même un cadeau. Un soir, elle m'apprit s'être inscrite pour l'année suivante à un stage de théâtre au cours Florent à Paris, où Francis Huster, le nouveau Gérard Philipe, y tenait une classe. Ça serait bien que ton livre rapporte, dit-elle, parce que le stage est payant et que je vais devoir louer un appartement à Paris.

Les ennuis avaient commencé.

Trente ans plus tard, je regarde les photos de Monique. Pas une seule ne la montre sur la scène d'un théâtre. Dans un car qui emmène les joyeux comédiens en tournée. Pas une image dans un jardin, l'air las, le rimmel qui coule, la perruque de travers, le *Marie Stuart* de Schiller sur les genoux. Pas une photo dans les coulisses d'un théâtre de province, le corps nu, s'apprêtant à jouer une Cécile de Volanges coquine et tellement provinciale. Pas une image ne la montre en petite bonne chez Labiche. En train de rire sur scène au off en Avignon.

Trente ans plus tard, ses photos racontent une histoire simple. Notre mariage sans faste. Sa descente du train à Paris en octobre 82 alors qu'elle s'apprête à rejoindre le cours d'Huster qu'on surnommait alors Nino à cause de ses nombreux rôles chez Nina Companeez. Une image au milieu d'autres élèves chez Berthillon, rue Saint-Louis-en-l'Île, elle éclate de rire. Une autre, plus tard, le visage plein, les seins lourds, le ventre obèse. Une de nous deux, main dans la main, l'air heureux ; l'image est floue, ma mère l'a prise au Touquet et la fumée de la cigarette qu'elle avait alors aux lèvres piquait soi-disant ses yeux et l'empêcha soi-disant de faire le point. Une dernière photo, prise à la gare du Nord le 15 novembre 1982. Je tiens une valise. Mes cheveux sont soigneusement peignés. Le col en V de mon pull en laine découvre ma chemise blanche, boutonnée.

Je porte un imperméable trois quarts. Sourire crispé. Yeux tristes. La même tristesse que le jour, il y a douze ans, où Dumbo m'offrit le livre de Giono. Je viens d'avoir vingt-deux ans. J'ai la silhouette d'un homme, la fragilité d'un enfant. Je vais monter dans le train, je descendrai à Bruxelles, demain je commencerai mon travail. Je hais cette photographie de moi. Cette faiblesse de moi. Monique riait avant d'appuyer sur le bouton. Elle disait *cheese. Cheese pour moi lapin.* Le sourire ne venait pas. Je regardai ma colocataire derrière l'appareil photo ; mon épousée qui n'épousait pas ma route. La première que j'avais enfin choisie.

Il y a bien un type qui a écrit ça, qui a été payé pour ça.

Sur l'affiche, il y a une voiture orange. C'est une Renault 12 – sur fond vert qu'on devine être le vert de la pelouse d'un terrain de football. La porte du conducteur est entrouverte. Un jeune homme à l'épaisse chevelure que le vent ramène sur le front tient la portière de la main gauche. Sa main droite est posée à plat sur le toit de la voiture. Il porte un maillot de football jaune avec le numéro 12 écrit en noir. Son seul pied visible, le droit, est chaussé d'une chaussure noire à crampons ; on peut donc supposer qu'il ne va pas conduire. Il y a un titre en haut de l'affiche. *La Renault 12 et Michel Platini présentent le Mundial.*

J'étais dans le bus. Ce fut le déclic.

Rien n'est jamais gratuit. Quelqu'un avait été payé pour écrire ça. Huit mots, un chiffre. Je me sentais capable d'une même prouesse, moi l'auteur à sept ans de quatre rimes extraordinaires et d'un haïku sur la transsubstantiation. Capable d'écrire *La Renault 12 et Michel Platini présentent le Mundial*. En rentrant, j'achetai une revue que je feuilletai. Une publicité représentait une montre noire cernée d'or qui sorc'est que

uelo.

Je suis partie

Ja vais m'ins...

Si je suis pa...

Je serai a...

tait d'une enveloppe noire elle aussi. On avait écrit : *La montre calendrier la plus plate du monde est belle. C'est une Timex.* Une autre dévoilait une femme en robe du soir dans son salon, inconfortablement assise me sembla-t-il, sur l'accoudoir d'un fauteuil. Dans sa main gauche, elle tient un flacon de parfum. Sa main droite parfume l'intérieur du coude de son bras gauche avec le bouchon. Elle nous regarde. *Une seule merveilleuse goutte et vous saurez pourquoi Estée Lauder gardait Le Parfum Private Collection pour elle-même.*

J'arrivai chez nous et je sus. J'allais écrire pour la publicité. Je ne dis rien à Monique. Nous passâmes une nouvelle soirée de vieux colocataires. Je fis la vaisselle. Elle lisait *La Formation de l'acteur* de Constantin Stanislavski et fronçait parfois les sourcils. Les mains dans l'évier, je bouillais, pensais mille slogans, me voyais au panthéon de l'écriture publicitaire. Mais comment faire ? À qui s'adresser ? Quelles étaient les études à faire ? Fallait-il obtenir des diplômes ?

Le lendemain, je me rendis au Furet du Nord et furetai (facile, j'en conviens) au rayon marketing. J'y dénichai *Le Processus de création publicitaire* écrit par Henri Joannis. Allez savoir pourquoi, c'est celui-là que je choisis. Je le dévorai. Quelle ne fut pas ma joie extatique lorsque je découvris le chapitre sur l'art de jouer avec les mots. Il y recensait pas moins de huit catégories : l'homonymie (j'en étais le dieu vivant), l'antanaclase (la répétition d'un même mot avec des sens différents), l'homophonie, la parony-mie (il donnait comme exemple éloge du vin-éloge divin), les assonances, les allitérations (pff, un jeu d'enfant), l'onomatopée et enfin l'homéotéleute (ce que je pratiquais couramment sans le savoir puisque cela définissait une phrase dans laquelle une rime s'était introduite, il donnait comme exemple *Canon, voir et s'émouvoir*). La dernière page lue, je décidai d'écrire quelques réclames puis de les présenter dans une agence de publicité. Me faire de la pub, en somme.

Dumbo et Anne Hannah m'invitèrent à déjeuner. Elle tint à faire cela chez elle bien qu'il eût sans doute préféré l'anonymat d'un restaurant.

Étonnant mon père ici, au milieu de ces choses-là, dans ce canapé-là, cette lumière-là, dans cet appartement-là sans rien de nous autour de lui, aucune photo, aucun imbécile cadeau d'anniversaire ou de fête des pères ; juste lui entouré des figurines de chouettes que collectionnait Anne Hannah. Il y en avait des centaines. Le pire n'étant pas le mauvais goût de la plupart d'entre elles mais le malaise que procuraient ces yeux globuleux, ces regards incisifs. Anne Hannah m'indiqua un fauteuil, servit du champagne, il faut fêter ça, dit-elle.

À les voir tous les deux aimables, une image de mes parents surgit.

Il est assis à la table de la cuisine jaune, elle s'approche pour y déposer le saladier, passe derrière lui et l'embrasse dans le cou. Ils rient. À cette seconde précise ils sont prodigieusement beaux ; mon frère se cache les yeux en soupirant, Claire si petite frappe des mains et envoie valser sa cuillère en plastique pleine de purée. Le bonheur n'était alors rien d'autre. Juste votre maman qui embrassait votre papa dans le cou en allant s'asseoir à table. Juste ça.

Dumbo trinqua, écris-tu toujours ? Il est très doué pour les mots, dit-il à Anne Hannah, tout petit déjà, il écrivait des petites histoires, je crois qu'il a écrit son premier poème à sept ans, tu te rends compte ? Et toi tu t'en souviens sûrement Édouard, peut-être peux-tu nous le réciter ? Anne serait très contente. Mon père était fier. Je baissai les yeux.

Alors il posa sa coupe de champagne, se leva.

Et dans l'impressionnant silence soudain du salon, sous les regards terrifiants des centaines de strigidés fossilisés, il déclama lentement d'une voix grave :

Maman
T'es pas du Zan.
Papa
Tu fais des grands pas.
Mamie
T'es douce comme de la mie.
Papy
Tout le monde fait pipi.

Anne Hannah applaudit. Une larme monta à mes yeux, lourde comme le mercure qui coula de ses yeux à lui quinze ans plus tôt.

Pour un instant, j'étais redevenu un fils, un enfant, une personne inoubliable.

Ça me rappelle la cuisine jaune, dit-il, mais nous ne sommes plus une famille maintenant, tout ça est perdu. Anne Hannah posa doucement sa main sur celle de mon père. Il alluma une cigarette. Quand il recracha la fumée, des mots l'accompagnaient. Je me souviens d'un été au Touquet. Il y eut un vent terrifiant, une tempête ; personne n'osait sortir, les vagues étaient hautes, assassines. L'appartement de location fut froid soudain, tellement humide. Vous étiez insupportables. Surtout ton frère. Il se jetait contre les murs comme une mouche prisonnière d'un verre. Tu l'as pris dans tes bras pour le calmer, tu as essayé de le bercer en chantant *Fais dodo, Colas mon p'tit frère*, mais il était si fort qu'il t'a entraîné avec lui contre les murs, les meubles. Et tu as ri. Et ton frère a ri. Et ni ta mère ni moi n'avons pu vous arrêter. Vous étiez ailleurs tous les deux. Vous avez mis le petit appartement à sac. Quand ton frère s'est calmé, alors ta mère a voulu qu'on sorte. J'ai refusé. C'était dangereux. Le vent dehors emportait tout ; sur la digue des vélos volaient, une camionnette de crêpes avait été emportée. Des transats avaient volé des balcons et blessé des gens. Mais ta mère vous a habillés quand même, elle a noué son foulard et elle a ouvert la porte. Le vent s'est engouffré, en hurlant. Tout a volé dans le salon. J'ai crié, ne sortez pas ! J'avais peur de vous perdre alors ta mère m'a regardé, vous étiez tous les trois accrochés à elle, elle avait un sourire très triste, elle a dit tu nous as déjà perdus, déjà perdus… et vous avez disparu dans le tourbillon. Faut pas ressasser les choses, l'a interrompu Anne Hannah ; reprends du champagne, il va être chaud.

Plus tard à table, il s'inquiéta que je n'aie point de travail, que j'aie arrêté les études. Je ne pourrai pas continuer à vous aider longtemps, Monique et toi. C'est dur au magasin. Tu avais peut-être raison,

les parfums et les slips, ça ne fait pas bon ménage.
Il envisageait une liquidation. Liquider quelqu'un,
liquider un commerce, c'était le même horrible mot.
Je tentai de le rassurer. Lui parlai de la passion nouvelle de Monique pour le théâtre, le cours Florent,
un cours prestigieux papa, avec Francis Huster un
acteur connu, ça gagne bien dans le vedettariat. Anne
Hannah haussa imperceptiblement les épaules. Je
racontai alors mes projets dans la publicité. Dumbo
s'inquiéta davantage, mais ce n'est pas un métier ça,
publiciste! J'ai connu quelqu'un qui a fait des tracts
pour le magasin il y a quelques années, il m'avait juré
que ça attirerait les clients, que je doublerais mon
chiffre d'affaires, tu parles. Dumbo était touchant,
pitoyable. Anne Hannah lui prit la main. Laisse-le
faire sa vie, dit-elle, c'est un bon fils. Allez, un café,
une petite poire, une autre, une dernière, parce qu'il
faut quand même fêter ta première visite chez nous.

Le temps passa. Anne Hannah qui gigotait pas
mal depuis quelques minutes s'absenta; j'en profitai
pour demander à Dumbo si nous lui manquions parce
que tu me manques, dis-je, mon frère me manque;
tu te souviens des mots que j'avais créés pour lui.
Euniertudors, pour pain. *Aododo* pour lit. *Onone*
pour jaune, enchaîna mon père, et pour soleil aussi.
Lincesse pour Claire, dis-je. *Beubeubeu* pour bleu,
pour bain, pour banc, poursuivit-il; je me souviens de
tout Édouard, tes mots le rendaient heureux et oui il
me manque.

Est-ce que tu as déjà tué quelqu'un papa?

Il ôta ses lunettes, frotta ses yeux. C'est ta mère
qui t'a raconté ça? Quand elle m'a demandé si je ne

l'aimais plus, c'est la seule réponse qui m'est venue.
Je devins blême. La seule. La vérité l'aurait détruite.
Mais ça l'a détruite. Non Édouard, ce qui l'a détruite
c'est ce qu'elle attendait d'elle-même, qu'elle ne par-
venait pas à atteindre. Je ne comprenais plus rien. La
chasse d'eau se fit entendre. Alors, tu n'as tué personne en Algérie ? Si. Un garçon de mon âge. Mais ça
n'a rien à voir. Anne Hannah entra dans le salon.

Dumbo manipula le bouton de réglage de son
audiophone et retourna à ses silences.

Ma première idée fut d'imaginer des chaises en carton pliables. Je leur avais donné un nom, Carpli. Et fait une annonce pour prouver leur solidité. On y voyait une chaise renversée et, en haut de la page, deux pieds qui flottaient dans le vide. J'avais écrit : *Carpli mais ne rompt pas* – figure paronymique selon Joannis.

La deuxième fut inspirée des images éprouvantes du massacre des bébés phoques cinq ans plus tôt, qui avaient ému Brigitte Bardot. Imaginez un cheval et sa couverture, un yorkshire et sa petite chemise imperméable mais la couverture et la petite chemise sont en peau humaine. J'avais écrit : *Ne faites pas aux animaux ce que vous n'aimeriez pas qu'ils vous fassent* et signé avec le panda du WWF.

La troisième idée était destinée à une association humanitaire. Des enfants dans un désert aride et ces mots énormes sur la photo : *L'eau, ça ne tombe pas du ciel*.

Pour la dernière idée, j'avais repris une publicité récente pour la Renault 5 (*Ma Renault 5 est une sorcière*) et changé le titre par *Ma Renault 5 m'ensorcelle*.

J'avais passé pas mal de temps sur la présentation formelle de ces idées et béni mon professeur d'arts plastiques du secondaire d'avoir insisté pour que je maîtrisasse l'art exigeant du lettrage et de la typographie et les grands principes de mise en page.

Je montrai mes idées à Monique. Elle ne comprit pas tout, même si elle trouvait cela fort bien fait, c'est toi qui dessines comme ça ? Mais surtout, elle ne comprit pas quel rapport cela avait avec mes livres. Je lui expliquai alors que je n'arrivais pas à écrire pour l'instant, que je cherchais un métier pour vivre, pour payer ton stage, la location d'un appartement à Paris en plus de celui-ci, pour que tu sois heureuse Monique, pour qu'on puisse un jour avoir une maison à nous et une télévision et partir en vacances ailleurs que chez ta mère au Touquet, quoi tu n'aimes pas ma mère ! J'aime bien ta mère, on ne dirait pas, mais qu'est-ce que tu veux que je dise de plus Monique ? Qu'elle est la meilleure mère du monde ? Oui ! C'est bon je le dis, c'est la meilleure mère du monde, je t'en prie Édouard ne te fous pas de ma gueule, je ne me fous pas de ta gueule Monique, et c'est quoi cette histoire de peaux humaines sur un cheval, de la peau de gens sur un yorkshire, t'es devenu fou ou quoi, et les gamins tout maigres là, ça ne va pas ? Tu crois qu'elle vient d'où l'eau si elle ne tombe pas du ciel ? Allez, tu ferais mieux d'appeler ton Galey là (*appeler-Galey*, sa première homéotéleute) et de lui demander où en est notre livre parce que ça traîne et qu'il n'y a pas de raisons que ça traîne, merde à la fin ! Puis elle se tut. Et je me tus.

Ses joues étaient rouges, sa respiration haletante ; un cheveu collait à son front, dessinait une fine cicatrice sombre sur son nez. Mes lèvres tremblaient. Le bout de mes doigts piquait. Nous nous regardâmes et ressentîmes pour la première fois la fracture ; cette fissure qui nous happerait et nous broierait des années plus tard entraînant avec nous le bon et le mauvais, les enfants, les rêves, la grâce et la colère. Et comme les ténèbres annoncées nous effrayaient, nous nous mîmes à rire. Un rire qui balaya toutes les craintes, pour quelques heures. Nous chûmes sur les maquettes des publicités. Le bruit qu'elles firent en se froissant excita bien moins ma colocataire que celui, délicat, des papiers de soie.

Je présentai mon dossier quelques jours plus tard dans une agence de publicité lilloise. On m'y accueillit fort gentiment. Un homme se présenta comme directeur artistique puis examina mes maquettes. C'est de la peau humaine ? Oui. C'est une bonne idée, violente, mais une bonne idée. Mon cœur s'emballa. Mais personne ne l'achètera jamais. Pourquoi ? osai-je. À cause des nazis, des sacs, des portefeuilles, des abat-jour, tous ces trucs. Mais ça n'a rien à voir, protestai-je. Peut-être, mais c'est comme ça. Ce n'est pas de la bonne publicité alors ? Il sourit, des rides apparurent au coin de ses yeux, il eut soudain l'air très vieux. Si, c'est de la bonne publicité. Il griffonna alors quelque chose sur un papier. Tiens, appelle ce type de ma part, il reprend une agence à Bruxelles, il cherche des rédacteurs. Bruxelles ? Rédacteurs ? J'appelai le *type* une heure plus tard, la voix enrouée, les mains moites. Il me donna rendez-vous pour le lendemain. L'agence s'appelait *Intermarco-Farner*. Elle se trouvait dans les Galeries Agora face aux Galeries de la Reine, dans le centre de Bruxelles ; elle avait pour clients Renault, Europ Assistance, *Le Soir*, la compagnie de ferries Sealink et RTL ; le type s'appelait Michael Goldstein et oui, il cherchait un rédacteur.

J'appelai Dumbo tout de suite après. Je voulais partager ça avec lui, ce moment de la première feuille sur mon arbre. Anne Hannah répéta plus fort plusieurs fois c'est Édouard, Édouard, il a un rendez-vous pour un travail, oui, un travail. Petit silence. Ton père sourit Édouard, il dit que tu grandis, que tu te décides à décider, que c'est bien. Attends, je te le passe.

— Ne finis pas comme moi.

— J'ai enfin lu le livre de Giono, papa. Bobi dit qu'on peut guérir l'Homme. Qu'on peut changer le monde.

— Alors fais-le.

Face à moi, un homme lisait *Le Nom de la rose*, paru quelques mois plus tôt. Le temps du voyage, il ne leva pas les yeux, même lorsque le contrôleur contrôla son billet. Même plus tard, lorsque j'éclatai de rire tout seul.

J'observai la jaquette du livre d'Eco. En quittant Matthieu Galey ce jour-là, en courant, en traversant aveuglément la rue Coustou au risque de me faire écraser, je sus que je ne réécrirais pas ma fable auvergnate *plus calmement*. Je l'avais crachée dans le tourbillon de mes vingt ans, cette impétueuse arrogance qui fait croire que la jeunesse a tous les dons et bénéficie de toutes les indulgences. J'avais aimé l'idée des choses. Avoir écrit. Être publié. Aimé le désir qu'avait eu Monique. Ce mort-né avait fondé notre relation. Il en avait été le mensonge premier. Comme le bravo de la mamie à sa rime en mie. La certitude de Claire que m'attendait un destin hors de l'ennui. J'avais aimé écrire, Dumbo, parce que tu m'avais aimé pour ça. Parce que des mots avaient fait jaillir le mercure de tes yeux. J'y avais pris du plaisir mais le plaisir ne fait pas un livre. Il éloigne temporairement la peur. Anesthésie fugitivement les doutes. Je ne suis pas un guérisseur papa, mais je te promets je vais apprendre. Connaître les formules. Maîtriser les préceptes. Et puis j'écrirai une histoire d'amour.

Celle de notre famille.

L'homme tournait les pages du récit d'Aldo de Melk dans l'abbaye perdue ; je tournai la tête et regardai au-dehors, au-delà de la fenêtre du compartiment. Blé, betteraves, maïs, patates ; de la bouffe à l'infini.

Je rentrai à Paris.

Aujourd'hui Michael Goldstein avait aimé mes réclames. Aujourd'hui Michael Goldstein m'avait engagé. Je commencerai dans deux mois, le temps de m'installer à Bruxelles. Il m'offrait un salaire de huit mille francs par mois (le smic était de trois mille quatre cent vingt-neuf francs et un centime). Mes mots, *L'eau ne tombe pas du ciel, Ne faites pas aux animaux ce que vous n'aimeriez pas qu'ils vous fassent, Carpli mais ne rompt pas, Ma Renault 5 m'ensorcelle* faisaient de moi un jeune homme riche. Plus riche qu'un écrivain. Je pensai à ce que répétait Dumbo à ses employés : si tout travail mérite salaire, tout salaire mérite travail. Les mots de mon père ; qui l'avaient appauvri. J'éclatai de rire.

Le lecteur ne leva pas un cil.

Je rentrai chez nous avec une cougnolle et une bou-teille de Taittinger. Le bouchon sauta et comme on dit en Champagne, *quand un bouchon saute on entend une femme rire*. Les yeux de Monique brillaient. Tchin. Santé. Aux mots qui se transforment en or !

Tout fut parfait trente minutes. Ses doigts cares-saient ma main, redessinant la carte du Tendre. Par-fois, elle baissait la tête puis la redressait dans un mouvement gracieux. Parade. Coquetterie. Roucou-lements. Nous deux amoureux et immortels soudain ; enjambant tour à tour le fleuve Inclination, les rivières Estime et Reconnaissance. Je lui parlai de Bruxelles, décrivis la beauté des Galeries Royales qui abritaient un théâtre, oui on y donnait des cours.

Mais je ne viens pas avec toi, lâcha-t-elle.

La demi-heure était passée. Elle était parvenue au lac d'Indifférence.

Je ne viens pas avec toi, Édouard. Je vais à Paris, je te l'ai dit. Mais nous sommes mariés. Non, nous avons fait plaisir à nos parents, joué aux grandes personnes, mais nous ne sommes pas un couple Édouard. Juste des colocataires de notre vie, comme tu dis si bien. Alors, c'est fini ? Non, pourquoi voudrais-tu que ce soit fini, répondit-elle. On baise. On rit. Parfois on rêve des mêmes choses. Mais on a aussi les chemins qu'on a choisis.

Nous décidâmes ce soir-là d'abandonner notre appartement. Elle partirait à Paris, emporterait les coussins Laura Ashley, les posters de David Hamilton, les deux étagères Napoléon III, je garderais le bureau d'écrivain débutant et les assiettes fêlées, à la cave.

Nous n'eûmes alors plus grand-chose à nous dire. Je me souviens que nous étions très tristes. Que nous eûmes envie de pleurer mais qu'aucun de nous deux ne voulut dévoiler sa faiblesse. Nous n'avions même pas goûté à la cougnolle et je sus que ni l'un ni sans doute l'autre ne s'approcherait jamais plus d'une brioche sucrée. Nous nous quittions sans nous quitter, vivions ensemble sans être ensemble. C'est la seule façon pour que tu m'aimes un jour, conclut-elle.

Nous prîmes nos mains. Elles étaient glacées.

La photo que je déteste, où l'on me voit tenir une valise gare du Nord et sur laquelle je ne ris pas, malgré les *cheese, cheese pour moi lapin* de Monique, fut prise ce jour-là.

J'avais loué une chambre dans un hôtel près de la chaussée d'Ixelles, au-dessus d'un Quick. Aucun confort, aucun service, juste un prix raisonnable pour les quatre nuits que j'aurais à y passer chaque semaine. Je me souviens de la première nuit dans cette chambre.

Un dimanche. Il pleuvait. La chambre était humide, le chauffage quasi inexistant, le couvre-lit herpétique de coton marron foncé. Le lavabo jaune était face au lit, surmonté d'un miroir moucheté, d'un petit néon. J'y vis mon visage triste. Mon visage de pensionnaire, douze ans plus tôt. Je ne rangeai pas mes affaires dans l'armoire, m'assis sur le lit, immobile un long moment.

Puis mon cœur commença à s'emballer, mes mains à trembler ; j'eus à nouveau froid comme à mes heures de frayeur. Une boule gonfla dans mon ventre, j'eus envie de vomir, suffoquai, mais contre toute attente me mis à rire. Un rire comme aux enterrements. Un rire de surprise parce qu'on est toujours vivant après

un terrible accident. Ce fut un rire inextinguible, douloureux, odieux. On frappa à la porte de la chambre,
on cria *silence là-dedans !* J'eus peur soudain, me cal-
mai comme on me l'ordonnait et m'allongeai sur le
couvre-lit infect. Je ne bougeai plus. Je fixai le plafond.
Les taches humides. Y devinai des pays, le Honduras
qui ressemble à un hippopotame au galop ; des personnages. J'essayai de ne pas penser à ce qui aurait dû
être. Monique à Paris. L'enfance qui manque parce
qu'on n'en profite jamais assez. Je n'arrivais pas à me
réchauffer. J'allumai une millionième cigarette puis
ouvris la valise pour y prendre tous les vêtements
qu'elle contenait et m'en recouvrir le corps. Comme
un linceul.

Je mourais mais ne pleurai pas.

Le lendemain, j'arrivai à neuf heures précises à
l'agence. Michael Goldstein me fit faire le tour des
bureaux avant de m'indiquer le mien où une toute
nouvelle machine à écrire à boule IBM 82 C avait été
installée. Mais surtout il me présenta Jacques Cowet,
le directeur artistique avec lequel j'allais désormais
travailler. Il avait l'âge de mon père.

Je m'installai à ma table de travail, à la fois fier et
terrorisé, subodorant que pour le salaire astronomique que j'allais toucher on allait me demander des
choses astronomiques. Cela ne tarda pas.

Michael Goldstein nous fit appeler pour un *briefing* (?) en début d'après-midi. Il s'agissait de créer une
annonce pour Europ Assistance qui donnerait envie
de souscrire à ceux qui partent aux sports d'hiver. Une
account executive (?) nous donna des informations,
montra un historique de ses publicités et expliqua la

stratégie (?) qu'elle avait retenue pour cette annonce. Elle parla alors d'insight (?), de cible, de concept (?), de promesse et de RTB (?) alias *reason to believe*, de ton de voix et de PQ (apparemment *presse quotidienne*). Je notai tout. Jacques Cowet me regardait en souriant. Se moquait-il déjà du petit nouveau? L'*account executive* (?) nous remit à chacun une feuille qui résumait tout ce qu'elle venait de dire, je compris pourquoi Jacques Cowet souriait.

Nous regagnâmes notre bureau. Jacques posa ses pieds sur la table, se mit à lire le *Moniteur Automobile* comme un ado *Playboy*. Je lus et relus le *briefing*. *Promesse.* Avec Europ Assistance, je suis sûr d'être bien entouré. Je pars l'esprit tranquille. *Ton de voix.* Émotionnel. *RTB.* Intervention sept jours sur sept, vingt-quatre heures sur vingt-quatre dans cent cinquante pays. Prise en charge médicale sur place. Rapatriement si nécessaire. Douze millions de clients. (Sept avions sanitaires d'Europ Assistance avaient rapatrié les victimes de la catastrophe du camping Los Alfaques en Espagne cinq ans plus tôt.) *Historique.* Créée par Pierre Desnos, épaulé par La Concorde, en 1963 en France puis en Belgique en 1964. Inventeur du concept de l'assistance moderne, médicale (médecine d'urgence, de transport et de catastrophe). *Travail demandé.* Une annonce demi-page PQ N&B.

T'as une idée? me lança Jacques. J'étais pâle. Pas la moindre, mon vieux. Ne t'en fais pas. Il est cinq heures, on va s'arrêter pour aujourd'hui, on verra ça demain.

Je ne dormis pas de la nuit.

Je quittai l'hôtel à l'aube, marchai jusqu'à la chaussée de Wavre pour trouver un kiosque à journaux ouvert. J'achetai *La Libre Belgique*, *Le Soir*, *L'Avenir du Luxembourg*, le *Courrier de l'Escaut* et même *De Standaard* et *De Morgen* bien que je ne connusse un traître mot de flamand. Je marchai jusqu'aux Galeries de la Reine, m'installai au célèbre Mokafe et commandai un triple expresso avant de décrypter chaque publicité jusqu'à celle-ci pour Tonton Tapis. Tonton tenait un tapis enroulé sur son épaule, le titre disait : « La qualité, je m'engage à vous l'apporter » (*qualité-apporté*, homéotéleute joannissienne).

Je fus l'un des premiers à l'agence. Quand l'*account executive* arriva, je lui demandai si elle avait des lettres de clients secourus. Elle sourit. Des milliers. J'en ai même ici, dans mon bureau. Elle m'en tendit une vingtaine. Je les survolai, cherchai un mot, un déclic. Et soudain il fut là. Stéphanie Bauchau, d'Etterbeek. Dix-huit ans. Une écriture régulière. Des petits ronds au-dessus des i. Un cœur sur le i de son prénom. Après ma chute de ski, avait-elle écrit, ce sont les blagues de l'ambulancier qui m'ont réchauffé le cœur.

Sainte Stéphanie. Je tenais mon annonce. Ma première annonce de publicité. J'allais mettre sa photo, ses mots. J'ajouterais *comme un grog* après « réchauffé le cœur », pour renforcer le côté émotionnel. Quand Jacques arriva, j'avais dessiné l'annonce, trouvé un slogan à placer sous Europ Assistance : *Ne partez pas tout seul en vacances*. Il rit, remit son blouson, ben c'est moi qui vais partir en vacances.

L'annonce parut deux semaines plus tard dans *Le Soir* et *La Libre Belgique*. Elle occupait la moitié de

la page cinq. Jacques avait été faire un portrait de
Stéphanie. Il avait pris soin de punaiser ses photos
de vacances à la neige sur le mur derrière elle, près
de ses skis Élan. Stéphanie Bauchau trembla lorsque
le photographe appuya sur le déclencheur ; à l'arrivée
cette peur donne toute sa vérité à l'image.

Le jour de la parution, j'achetai six exemplaires du
Soir et Annie Vachon entra dans mon bureau.

Je suis ta vache, ta grosse vache, bouffe-moi, caresse-moi, tète-moi, suce mes longs bouts de sein, aspire mon pis, aspire mon petit, fais-toi plaisir, glisse ta queue, fourre-moi, encule-moi, fais-toi plaisir, je suis ta vache, ta bonne vache, oh je meugle, je beugle, fais-moi ce que tu veux.

J'étais très vite devenu l'amant d'Annie Vachon parce qu'elle l'avait décidé.

Nous bûmes un verre un soir, en bas de l'agence. Elle avait commandé du vin, j'avais commandé un café, elle avait ri. Et pourquoi pas un verre de lait mon bébé? J'avais rougi. Elle avait demandé un second verre de vin. Nous avions trinqué. Elle avait vidé son verre d'une traite.

Elle n'était pas vraiment jolie. Dix ans de plus que moi. Ni mince ni grande mais ce *je-ne-sais-quoi* qui rend les hommes fous.

À l'agence, on l'avait demandée en mariage une fois. Un client offrit d'abandonner sa femme pour elle. Un autre, dépité, flirta avec les barbituriques. Des bouquets l'attendaient parfois sur son bureau. Son anniversaire n'était jamais oublié, sa fête du 26 juillet non plus et quelques énamourés rétablirent secrètement les anciennes dates fixées par Paul VI, les 10 mars et 16 août, dans le but de s'octroyer deux chances supplémentaires. Des rumeurs lui prêtaient mille amants. Les femmes de la comptabilité chuchotaient dans son dos des mots poisseux. *Nymphomane. Marie-couche-toi-là.* Les plus sévères étaient insultantes. *Salope. Pute. Je t'en foutrais, moi. Un seau d'eau glaciale, oui!* Annie Vachon faisait tourner les têtes, détricotait les couples, donnait des envies de meurtre et d'amour.

Lorsque son verre de vin fut vide elle demanda, aussi simplement que s'il se fut agi de l'heure, on va baiser chez toi ou chez moi?

Mes mains étaient moites, mon cœur battait à tout rompre quand nous entrâmes chez elle. Elle n'alluma pas, m'entraîna dans sa chambre, nous déshabilla puis m'attira en elle, véhémente, violente, impétueuse; les mots coulaient de sa bouche avec le tumulte d'un fleuve, *je suis ta vache, ta grosse vache, bouffe-moi, caresse-moi, tète-moi.* Je fus excité et terrifié et mortifié et j'eus honte et soudain plus honte de rien. Je me droguai à sa chair, plongeai dans tous ses orifices, découvris le goût et le dégoût du corps. Je fus amoral, impudique, je me donnai sans compter, fis ce qu'elle ordonnait, me fis plaisir, me salis, m'humiliai; mes noirceurs éblouirent ma nuit; elle était une vache, j'étais un goret, nous nous vautrions dans la fange.

Lorsqu'il fut établi que ma jeunesse fut épuisée au point qu'il n'était plus possible que je bandasse de nouveau avant quelques heures, elle me chassa de son lit, de sa chambre, de chez elle. Va-t'en maintenant, laisse-moi. Elle me jeta des clés. Prends ma voiture, il n'y a plus de taxis. Allez file. Fous le camp.

Dégage. Je m'exécutai, disparus dans la nuit claire. Ne fus plus qu'une ombre parmi les ombres. Il me fallut un certain temps pour rejoindre l'endroit où elle avait garé sa voiture. Plus longtemps encore, assis au volant, pour retrouver mon souffle, le calme de mon cœur avant d'enfin tourner la clé, de démarrer, rouler jusqu'à retrouver, sur la table de la chambre d'hôtel, la photo d'elle que Monique m'avait offerte – elle à seize ans, un large chapeau de paille sur la tête. Elle porte une longue robe légère de Laura Ashley et la lumière friponne du contre-jour dévoile ses deux jeunes seins, ses aréoles sombres, sa minuscule culotte de coton blanc.

Je serai toujours avec toi, avait-elle dit en m'offrant son image.

Je fus de retour à l'hôtel à l'heure où les premières boulangeries embaument, à l'heure sans doute où Monique dormait encore, là-bas, dans son studio parisien, rue Saint-Paul, dans les bras peut-être du sprinter ou ceux, plus pâles, plus faibles, d'un théâtreux de passage ou ceux encore, parfaitement froids, du vide d'une vie. Je filai sous la douche. Mes doigts, mes lèvres, ma langue, chaque centimètre carré de ma peau exsudait la géographie des odeurs d'Annie Vachon. Une fois savonné, rincé, séché, les odeurs étaient toujours là ; mes lettres écarlates. Je m'allongeai nu sur le lit. Portai mes doigts à mon nez, m'enivrai encore des odeurs terribles, la jouissance poisseuse, la merde, le sang.

J'eus peur soudain. Soudain envie de redevenir enfant, plonger dans les bras maternels de la compassion et du pardon ; envie de fuir, quitter cette ville étrangère, l'agence où j'allais la croiser tous les jours et tous les jours désormais lire dans ses yeux sa jouissance à m'avoir corrompu, sa victoire à m'avoir fait aimer la noirceur de mon âme.

Pendant ce temps à New York, un chanteur mourait lentement d'une maladie terrifiante qu'on croyait d'abord réservée aux callitriches du Sénégal ou d'Éthiopie, puis aux hommes noirs puis aux homosexuels. Nous n'entendions rien, nous ne nous doutions de rien, nous ne savions même pas que Klaus Nomi devait se piquer pour avoir la force de monter sur ses dernières scènes, nous n'écoutions pas, nous forniquions, la vache et le goret sourds, aveugles, sans capotes, sans tabou, sans morale.

Nous forniquions.

Même si ça finit mal pour eux, Bobi et Dumbo avaient raison. L'Homme guérit.

À condition qu'il le décide.

Je ne voulais pas d'une sordide petite banalité d'homme. Le con avec une femme à Paris, une maîtresse à Bruxelles. La vie du con entre les deux. Mensonges, complots, alibis. Je n'aimais plus ma vie et pour en changer, décidai de les quitter toutes les deux. Ah, le fils de Dumbo, héritier de la lâcheté, tout petit homme !

Mais la vie a son mot à dire.

Elle me fit acheter une petite Peugeot blanche ; elle prima quelques-unes de nos campagnes de publicité, une agence concurrente chercha à me débaucher et Michael Goldstein m'augmenta pour que je reste ; elle fit fi de mes résolutions et me laissait continuer d'artiller Annie Vachon ; enfin, elle m'obligea à rencontrer Monique pour parler divorce.

La rencontre eut lieu à Paris, en l'Île Saint-Louis chez le glacier Berthillon. Deux mois déjà que nous ne nous étions vus. Elle avait coupé ses cheveux, noirci ses yeux de khôl, je répète l'*Antigone* d'Anouilh dit-elle, elle avait maigri et je ne pus m'empêcher de penser aux paroles de *La Bohème* d'Aznavour, *Dans les cafés voisins/Nous étions quelques-uns/Qui attendions la gloire/Et bien que miséreux/Avec le ventre creux/Nous ne cessions d'y croire.* Je la trouvai pâle, elle me trouva beau. Je gardai mes mains dans les poches de mon blouson à cause des odeurs bovines. Elle commanda un verre de vin blanc. Ce fut la première fois que je la vis boire de l'alcool et lorsque je lui en fis la remarque, elle dit :

— C'est une occasion importante, on a des choses à se dire.

Son don féminin de prescience l'avait-il déjà alertée de l'imminence du désastre ? Avait-elle, *elle*, décidé de quelque chose ? Avait-elle à me dire ce que je soupçonnais ? Allait-elle confesser le sprinter, le théâtreux ou avouer le vide ? On apporta le vin blanc, le vin rouge. Santé, souffla-t-elle. À toi de commencer.

Je commençai.

Notre mauvais mariage. Mon désamour. Notre couple qui n'en fut jamais vraiment un. Nos routes séparées. Les trois cents kilomètres entre Paris et Bruxelles. Son studio. Ma chambre d'hôtel. Les livres que je n'écrivais pas. Son théâtre qui semblait l'épuiser, déjà ; les promesses de scène et de bohème, *encore des mots, toujours des mots* chantait Dalida[1]. Ma solitude. Mon célibat bruxellois. Mes tentations. Sa liberté parisienne. Ses possibilités.

Je ne m'arrêtai plus.

Ce fut elle qui m'arrêta. Avec trois mots. Trois balles.

— Je suis enceinte.

---

1. Dalida, « Paroles, Paroles », avec Alain Delon.

Notre fille naquit treize mois plus tard.

Pendant le temps de cette très longue grossesse je créai une campagne de publicité pour la Renault 9 qui donnait la parole aux robots qui l'avaient conçue, une autre pour le quotidien *Le Soir* qui lançait un grand dossier sur la personnalité des Bruxellois. J'écrivis aussi des annonces pour Sealink et poursuivis la saga Europ Assistance. Nous obtînmes des prix. Michael Goldstein était aux anges. Et Annie Vachon me jeta aussi vite qu'elle m'avait cueilli.

Je n'eus pas droit à un adieu courtois, un verre de vin ; juste ces mots un soir, dans la fraîcheur du parking de l'agence : ça ne me fait plus rien de baiser avec toi. Et sans me laisser le temps d'une vague protestation, d'un geste faussement désespéré, elle monta dans sa voiture, démarra, disparut. Je restai là, imbécile, vexé et soulagé à la fois. J'eusse toutefois aimé pouvoir la quitter, prononcer quelques mots d'homme mais il fallait croire qu'elle ne nous laissait même pas cet osselet de fierté. Annie Vachon nous aspirait, nous avalait, nous recrachait. Nous étions ses *sex toys*, ses antidépresseurs. Nous étions ses bouées ; lumières dans l'obscurité. Quand elle mourra quatre ans plus tard, qu'une fille m'appellera parce que mon nom figurera dans un carnet parmi quatre cent quatre-vingt-dix-sept autres noms d'hommes et lorsque la voix de cette fille dont j'ignorais l'existence m'annoncera que sa maman est décédée d'une pneumonie subséquente à un sida, je ressentirai une grande peine. Et non, je ne lui en voudrai pas lorsqu'un matin, dans la pâleur de l'aube qui dissimule si bien les couards je me rendrai à l'hôpital de Clichy pour y faire un test de dépistage du sida. Je ne lui en voudrai pas lorsque je regarderai mes deux filles jouer ensemble en me demandant si j'ai empoisonné le sang de l'une ou des deux. Je penserai à nos heures d'amour boucher. Il me reviendra alors le bruit de nos chairs, comme celui de la viande que l'on frappe pour l'attendrir. Il me reviendra ses injonctions de douleur, *va-t'en maintenant, dégage, fous le camp* ; je me souviendrai alors de sa voix qui se cassait toujours à ce moment-là, à l'instant où le bruit de la porte qui claquait la plongeait dans le silence de sa solitude, la violence de ses fantômes.

Pendant le temps de cette très longue grossesse, Monique ne décrocha pas le rôle d'*Antigone* d'Anouilh, pas plus qu'elle ne fut la jalouse Armande des *Femmes savantes*, Dona Prouhèze du *Soulier de satin*, une pièce si longue qu'elle fit dire à Louis Jouvet : « Heureusement qu'il n'y a pas la paire » ni même Hermance du *Plus heureux des trois* de Labiche.

Humiliée, Monique quitta alors Paris en se jurant secrètement d'y revenir. Elle me rejoignit à Bruxelles, je quittai la chambre d'hôtel, nous louâmes un appartement rue Fossé-aux-Loups et sept mois après qu'elle m'eut annoncé chez Berthillon qu'elle était enceinte, son ventre s'arrondit enfin, ses seins s'alourdirent.

— Tu le désires ? demanda Dumbo lorsque je lui annonçai la nouvelle.

— J'ai pensé qu'il pourrait faire un miracle.

— Un miracle, tiens donc. Lequel ?

— Nous unir. Nous réunir.

— Ce n'est pas ces miracles-là que réalisent les enfants.

J'entendis alors un bruit. Puis la voix d'Anne Hannah dans le combiné. Ton père est fatigué.

Il fit très chaud ce jour-là.

Monique était pratiquement à terme et avait pris dix-sept kilos. Elle m'avait appelé un peu plus tôt pour acheter un ventilateur chez Delhaize en rentrant. Je n'étais pas débordé de travail, je rentrai tôt.

Je fus soudain surpris par le silence. Les détritus dans les rues. On eût dit que la ville avait été pillée puis désertée. Pratiquement plus de voitures, les terrasses de café désertes. Partout cette couche de canettes de bière, de journaux, de papiers gras, rouges, rouge sang, de drapeaux de papier rayés noir et blanc déchirés, d'emballages de hamburgers. La ville était sale. Silencieuse. Dangereuse.

J'achetai un ventilateur sur pied à la supérette. J'y entendis deux personnes parler du match. T'y vas pas, toi ? T'es fou, avec tous les *geneiveineus* là-bas, j'veux pas m'faire marave !

Geneiveineus, un mot bruxellois qui désigne les ivrognes.

Monique était vautrée dans le petit canapé. Une couronne de transpiration ceignait son front. Je branchai le ventilateur qui se mit à brasser l'air chaud, lui apportai un verre d'eau fraîche, veillai à ce qu'elle ne manquât de rien et allumai la télévision.

Ce soir, au stade du Heysel, se disputait la finale de la Coupe d'Europe des Clubs Champions. Elle opposait Liverpool FC à la Juventus de Turin.

Soixante mille personnes avaient quitté la ville pour se rendre au stade dans l'après-midi. Pour voir un beau match de football.

Ils verraient trente-neuf morts broyés dans la tribune Z. Six cents blessés. La honte d'un sport. Une ville foudroyée.

Toute la nuit, les sirènes déchirèrent le silence morbide du centre de Bruxelles.

Sur l'écran, des textes glissaient sur les images immondes et appelaient les personnels hospitaliers et médicaux à rejoindre d'urgence leurs centres d'affectation, les réservistes leurs casernes. Sur le terrain où le match fut finalement joué pour éviter d'autres morts, Platini marqua le point gagnant sur penalty.

Cette nuit-là, le pays fut en guerre. L'armée reconduisit les supporters anglais jusqu'aux bateaux. Les policiers escortèrent les Italiens jusqu'à leurs trains.

Cette nuit-là, la détresse étouffa le cœur des Belges. Au matin, ils ne parlèrent plus.

C'est ce matin-là, dans la ville du chagrin, que Mathilde vint au monde.

La béance du sexe de Monique m'impressionna.

On aurait pu y passer une tête, et c'est ce qui arrivait ; je faillis défaillir (*homéotéleute joannissienne* – il y avait longtemps). Je pensai alors, dans la salle d'accouchement, à la béance de celui de Rosa du livre éponyme de Maurice Pons par lequel étaient passés troufions, canonniers, artificiers, fantassins, seconds maîtres, aspirants, majors, cavaliers, chevaux et même un certain capitaine Malard. La venue au monde de ma fille n'avait rien des beautés promises dans les livres. Monique hurla, sa main broya la mienne, cassa mon auriculaire. Son visage sembla sur le point d'exploser lorsqu'elle expulsa. La sage-femme encourageait, poussez, poussez, c'est bien, vous travaillez bien et tenait ses mains devant le gouffre sombre comme un rugbyman devant le ballon dans la violence d'une mêlée. Il n'y eut rien de vraiment beau. La tête apparut, souillée, les paupières gonflées, les cernes violets, on aurait dit un enfant battu. Monique hurlait, elle voulut cesser de souffrir, elle voulut mourir. La tête est là, vous voulez un miroir, vous voulez la voir ? Un accouchement est une guerre où l'on ne peut pas rendre les armes. C'est une douleur immense, inouïe

que Selby Jr. avait imaginée chez un homme compa-
rable à celle de « chier une pastèque ». Quand les
épaules seront passées, le plus dur sera fait, encou-
ragea la sage-femme, vous êtes sûre, vous ne voulez
pas de miroir ? parce que je vais la sortir maintenant,
je vais vous aider, respirez, c'est bien, c'est très bien,
très très bien. Monique ouvrit alors ses yeux et me
regarda. Je n'eus pas de mots, pas de gestes à offrir à ce
regard effaré. Monique dérivait. Elle s'enfonçait, dis-
paraissait. Les joies d'avant, les rondeurs naissantes,
les premiers coups de pied qui faisaient des bosses
sur le ventre, les mots de l'attente, les rêves d'une vie
avec un enfant ne résistaient pas à cette douleur-là.
Mathilde balaya tout. J'avisai l'infirmière, mes lèvres
articulèrent des syllabes. *Elle-va-mal-ai-dez-la.* L'infirmière me sourit, haussa légèrement les épaules. J'étais
encore un de ces jeunes pères qui s'affolent pour un
rien, pensent que la naissance de leur enfant est l'évé-
nement le plus important du monde. Mais il en naît
sept cent cinquante mille par an des gamins comme
le vôtre monsieur, alors laissez-nous faire notre boulot. Pendant une seconde, il me sembla que la vie
quittait Monique et d'une certaine manière, c'est ce
qui se passait. La sage-femme cria, je l'ai ! comme
lorsqu'on attrape le pompon dans un manège. Elle
tenait Mathilde dans ses mains, elle la leva haut vers
la lumière, l'enfant hoqueta, cria à son tour ; c'est
une petite fille, une belle petite fille et si elle est arrivée un tout petit peu en avance, c'est qu'elle était
prête, ça oui, elle était prête. Puis elle la déposa sur
la poitrine de Monique comme on dépose des fleurs
sur une dépouille. Je vous laisse faire connaissance.

L'infirmière et elle s'éloignèrent, l'une d'elles baissa les lumières et nous fûmes enfin seuls, tous les trois, pour la première fois au monde.

Elle est normale? me demanda alors Monique d'une voix déchirée par les cris, brisée par la peur. Je regardai le corps de notre fille, y comptai bien deux bras, deux jambes et cinq doigts à chaque extrémité.

— Son visage, regarde son visage, dit-elle.

Je fis le tour du lit, l'observai. Elle avait une bouche ravissante, des lèvres gourmandes ; ses paupières étaient closes, scellées par les miasmes amniotiques, figées par la peur de la lumineuse brutalité du monde ; la forme de son crâne était parfaite et, dans celle de son adorable nez, je ne décelai aucune anomalie. Elle est normale, murmurai-je, elle est jolie aussi. Des larmes affleurèrent alors les yeux de Monique, roulèrent sur ses joues. Ses mains firent connaissance avec Mathilde tandis que je les observais, toutes les deux, ma femme et ma fille. Les caresses de Monique apaisèrent les peurs de Mathilde et un rire monta à ses lèvres. Un rire de survivante.

Ma mère vint passer trois semaines à Bruxelles.

Elle fit la connaissance de sa petite-fille; retrouva les gestes ancestraux : le bercement, le changement de couches, les mains qui tartinent de Mitosyl et deviennent des marionnettes. Je la regardais retrouver les mots idiots, les expressions demeurées, tout ce curieux langage qu'on utilise avec les bébés sous prétexte que le leur n'est que borborygmes et autres flatulences. En les observant, je mesurais tout ce que l'on perd en grandissant, tout ce que l'amplitude des bras qui poussent empêche désormais d'atteindre.

Quand on est très petit, la longueur des bras permet juste d'atteindre le cœur de ceux qui nous embrassent. Quand on est grand, de les maintenir à distance.

Et lorsqu'elle riait, le rire de la jeune grand-mère me rappelait les nôtres dans la cuisine jaune pâle de Valenciennes, nos rires du temps des limbes, de nos enfances où tout était encore possible, la fidélité, l'amour et même un médicament un jour, pour notre frère.

Mais il y eut les tempêtes et les mauvaises rencontres et nos vies basculèrent.

J'étais retourné à mes réclames. Michael Goldstein avait décidé de maigrir. Il avait remplacé la Stella Artois par le nouveau Coca Light lancé l'année précédente. Son humeur devint maussade sans que son tour de taille ne bénéficiât de ce sacrifice. Jacques Cowet eut de fort mauvaises nouvelles de son cœur lors d'un check-up; il prit peur, décida d'arrêter ce métier *affreusement* stressant de la publicité, démissionna et retourna à Braine-l'Alleud d'où il était originaire. Il trouva un poste à l'office du tourisme où il fut chargé de la conception des brochures et autres dépliants qui avaient à vanter cette jolie petite ville du Brabant wallon, ses promenades pédestres, ses journées du cheval, sa butte du Lion et sa douceur de vivre.

Quant à Annie Vachon, elle était partie six semaines en vacances. Nous parlions à peine. À peine un bonjour. À peine un regard. C'était toujours moi le premier qui baissais les yeux. Des années plus tard, lorsque j'entendrai Carole Bouquet dans le film publicitaire Chanel n° 5 dire à son amant : *Tu me détestes n'est-ce pas ? Dis-le. Dis-le que tu me détestes. C'est un sentiment troublant, très troublant. Parce que moi je te hais. Je te hais tellement que je crois que je vais en mourir... amour*, je sus que c'étaient là des mots que j'eusse aimé lui écrire.

Je m'étais égaré en elle et elle n'avait pas cherché à me retrouver. Elle m'avait laissé me cogner aux parois de son corps sans jamais ouvrir son cœur. Je ne l'avais pas perdue. Je m'étais perdu.

J'avais pris la décision de retourner à Paris avec Monique et notre fille. De nous donner une chance. Je voulais croire à ce à quoi j'avais cru. Qu'un enfant pouvait unir et réunir. Tant pis pour toi, Dumbo.

La veille de son départ, l'amante nous annonça qu'elle avait rencontré quelqu'un.

Cette année-là, René Belletto publia *L'Enfer*, Marguerite Duras *La Pute de la côte normande* et *Le Nom de la rose* devint un film tandis que mon œuvre s'enrichissait d'un titre pour une annonce qui promouvait l'ordinateur Commodore 64 (microprocesseur 8 bits 6510 et mémoire de 64 Ko) ainsi qu'une série de titres d'affiches pour le lancement de la Renault 11 TXE, la première automobile de cette catégorie à proposer un ordinateur de bord doué de parole – une voix assez désagréable au demeurant – qui vous rappelait sans cesse à l'ordre. *Portière mal fermée. Attachez votre ceinture. Niveau d'essence minimum. Vidange dans cent kilomètres.* Nous riions à l'agence. Nous imaginions d'autres rodomontades pour la voix. *Enlève ta main de la cuisse de la passagère. Arrête de te gratter les couilles. Ôte ton doigt de ton nez.*

Cette année-là, deux millions de Français rirent en découvrant *Trois hommes et un couffin* et plus à l'est des millions de gens ne rirent plus du tout à cause de l'explosion du réacteur de Tchernobyl dont les méchants effets s'arrêtèrent miraculeusement à notre frontière.

Cette année-là, au cours de théologie de la faculté de Lille, l'amante rencontra Xavier Lenglet, séminariste contrarié qui, après des années de séminaire, n'avait toujours pas entendu l'appel tant attendu. Dépité, il s'était alors rendu en Afrique, berceau de l'humanité. Il passa deux longues années au Mali, creusa la terre brûlante dans le désert au nord d'Araouane, y fit jaillir de l'eau puis partit enseigner la grammaire française dans une école au sud de Tenkodogo au Burkina Faso. Il fut amputé de la jambe droite à la suite d'un accident de motocyclette dans la banlieue d'Abidjan. Lorsque nous apprîmes Claire et moi que la moto était une puissante BSA Rocket III de 1972, je le surnommai *l'Anglais* et ma sœur ne put s'empêcher ce commentaire charmant : tu es vraiment doué avec les mots. Il rentra en France à cloche-pied si l'on peut dire, passa des examens pour devenir professeur et finit par obtenir une chaire sur le scepticisme moderne à la Faculté de Théologie de Lille, où il enseignait le pyrrhonisme, le fidéisme du *De natura deorum* de Cicéron et l'*Octavius* de Minucius Felix. Et bien que ces sujets puissent nous sembler totalement obscurs à nous pauvres humains, ils eurent l'heur de rapprocher l'aventurier et notre mère. C'est un être extraordinaire, dit-elle, il a une parole exceptionnelle. L'amante semblait envoûtée. Les yeux mi-clos, elle rêvait de scepticisme apologétique, de poussières africaines, du raffut du moteur d'une motocyclette britannique. L'Anglais était son Solal, son Gatsby. Il l'emportait loin des désillusions de Dumbo et des survêtements Jacques Anquetil. Ma mère avait alors quarante-cinq ans. Elle rêvait à sa seconde chance. Elle baissa les yeux. La jambe de pantalon vide c'est toujours un choc, chuchota-t-elle, mais on l'oublie très vite. Parle-lui de toi, de ce que tu fais, ça l'intéresse. Il aime les jeunes, il est curieux de tout. Sa voix se brisa légèrement. Elle voulait tant qu'il fût le bon, qui la rendrait heureuse, enfin, pour toujours.

Mais la vie est cruelle.

— J'ai l'impression de bien te connaître me dit l'Anglais lorsque nous nous rencontrâmes. Je sais que tu as une adorable Mathilde, que ta femme veut être comédienne, que tu réussis dans la publicité mais surtout, je sais que tu es un écrivain.

Je jetai un œil en direction de l'amante, ses joues rosirent, elle baissa aussitôt les yeux.

— Moi aussi j'écris. J'ai publié un opuscule sur Notre-Dame du Saint-Cordon.

En l'an 1008, la peste s'abattit sur Valenciennes. Une hécatombe. Huit mille morts en quelques jours. Les survivants entourèrent de larmes les autels dédiés à la mère de Dieu. Elle s'en émut et, le 7 septembre 1008, les ténèbres firent place à une grande clarté : la Vierge apparut devant quinze mille témoins age-nouillés ; dans ses mains, elle tenait un cordon écarlate dont elle ceignit la ville qui fut alors protégée de la mécréante *Yersinia pestis*.

L'Anglais achevait la rédaction d'un deuxième opuscule. Sur Maximilien Kolbe cette fois. Ce frère franciscain qui avait donné sa vie le 14 août 1941 à Auschwitz en échange de celle d'un père de famille. Il avait été canonisé quatre ans plus tôt par Jean-Paul II.

— C'est une histoire extraordinaire sur la bonté, murmura l'Anglais.

J'acquiesçai. Je pensai à Bobi. À nos rêves de gué-
rison.

— Si tu as besoin de mon aide pour tes livres, je
serais très honoré de t'aider.

L'amante me regarda. Un grand sourire illuminait
son visage, elle était heureuse. Elle m'offrait un père.
Un auteur. Un correcteur. Un guide.

Nous rentrâmes à Paris, louâmes un petit deux pièces rue Pouchet, dans ce qu'on appelait le *mauvais XVIIe*, au-dessus d'une boutique de spiritueux. Et même si le caviste buvait davantage de bouteilles qu'il n'en vendait, il eut un éclair de providentielle sobriété pour nous proposer sa sœur alors que nous cherchions quelqu'un du quartier pour s'occuper de Mathilde.

La femme avait une honnête tête; un visage à la Danièle Delorme dans *Voici le temps des assassins* de Duvivier. Elle parlait doucement, ses gestes étaient calmes, son haleine fraîche, ses mains manucurées tenaient des lettres de recommandation. Je me tournai vers Monique, plein d'espoir; elle haussa mollement les épaules, vous aimez notre fille? murmura-t-elle. Madame Josée eut alors un sourire très doux. Je ne sais pas encore si j'aime Mathilde, répondit-elle, mais j'ai de la place pour elle dans mon cœur. Implacable. Elle commença à s'occuper de notre fille le lendemain même.

Monique passait ses journées enfermée dans sa chambre et moi à rédiger des courriers aux agences de publicité parisiennes pour obtenir un rendez-vous, une place de rédacteur, de coursier, de porteur de

café, nettoyeur de moquette, n'importe quoi. Tous
les matins je descendais quatre à quatre les marches
étroites de l'escalier, me précipitais, ouvrais la boîte
aux lettres. Rien.

Lorsque je lui avais remis ma démission quelques
semaines plus tôt, Michael Goldstein (qui avait finalement renoncé au Coca Light, retrouvé le plaisir des
Stella Artois et accepté son embonpoint confortable
– il y a des femmes qui craquent pour Baloo, avait-il
coutume de dire –), Michael Goldstein m'avait prévenu. À Paris, ce n'est pas comme ici. Ce sont des
ambrasmoekers (prétentieux). Tout ce qui n'est pas
eux, tout ce qui ne vient pas d'eux est nul. Tu sais
menneke (gamin) les Français se sont foutus de nous
pendant des années avec leurs blagues belges. Nous,
on n'en a qu'une sur eux : pourquoi les Françaises
ont-elles des petits seins et des gros bouts ? Je souris, donnai ma langue au chat. Parce que les Français
ont des petites mains et des grandes gueules. J'éclatai de rire. Puis Michael Goldstein redevint grave. Tu
n'es pas fait pour eux. Reste ici. Tu écris trop bien
pour eux. Regarde leurs annonces. À Paris ils écrivent
Macadam Star au-dessus de la Renault 9. Toi tu as
l'idée de faire parler les robots qui la construisent et tu
gagnes des prix. T'es loin d'être un *kluutzak* (idiot). Si
tu veux plus d'argent, je t'en donne. Dis-moi le salaire
que tu veux, donne-moi un chiffre. Il décapsula une
nouvelle Stella. Et je sais. On sait pour toi et Annie.
Il but une gorgée de bière. J'ai couché avec elle moi
aussi, mais je suis vieux et gros alors c'était un cadeau
pour moi. Toi t'es tout jeune, t'as un bébé et je sais
que ça te ronge mais il faut pas. Si tu pars à cause

d'elle, c'est une mauvaise idée. Je gardai le silence. Il vida sa bouteille lentement, s'essuya les lèvres de la main et lâcha : Je suis d'accord pour qu'elle parte afin que tu restes. Mon cœur s'emballa. Mes mains tremblèrent. Ainsi c'était *aussi* cela le monde des adultes. Le monde du travail. Des grandes personnes. Dumbo ne m'avait pas appris. Les professeurs qui m'enseignèrent la philosophie, l'histoire de l'art et la comptabilité non plus. Je ne l'avais pas appris dans les livres que j'avais lus ; ni Gomez-Arcos ni Barjavel ni Sartre ne l'évoquaient jamais. Le talent de l'un ruine toujours celui de l'autre. Pour me garder, Michael Goldstein était prêt à sacrifier Annie Vachon. Je pris ma tête dans mes mains, m'enivrai des odeurs d'elle que mes doigts conservaient, comme une relique, il me sembla un instant l'entendre, *aspire mon petit, fais-toi plaisir, glisse ta queue, fourre-moi, encule-moi, fais-toi plaisir*, des larmes montèrent à mes yeux, Michael Goldstein posa alors sa main sur mon genou.

— Je sais ce que c'est, dit-il. Je sais que ça fait mal.

Il organisa un formidable pot pour mon départ, qui finit à l'aube *Chez Richard*, petite brasserie dans la rue des Bouchers où nous avions nos habitudes. Annie Vachon nous rejoignit alors que nous étions déjà ivres. Elle fut très belle cette nuit-là. Ses rires furent de la musique, son charme charma tout le monde, hommes, femmes et bêtes s'il y en eut. Je savais que nous étions nombreux autour de la grande table à avoir été entraînés dans son lit, convoqués pour éteindre le feu de ses démons, l'aider à combattre ses fantômes mais je voulus croire que ce qu'il y avait eu entre nous fut unique. Même si ce n'était pas vrai.

Ce fut la dernière fois de ma vie que je la vis. Dans moins de quatre ans maintenant, le téléphone sonnera.

Madame Josée fut tout de suite formidable avec Mathilde. Elle prit aussi soin de Monique et Monique quitta enfin sa chambre. Madame Josée lui faisait faire connaissance avec sa fille. Je leur apprends à s'apprivoiser, disait-elle, comme le renard et le Petit Prince. « *Si tu m'apprivoises, nous aurons besoin l'un de l'autre. Tu seras pour moi unique au monde. Je serai pour toi unique au monde.* »

Je recevais parfois un courrier dactylographié d'une agence de publicité qui regrettait de ne pouvoir donner suite à ma demande, etc. J'appelai alors Dumbo, il fut prêt à me dépanner de quelques milliers de francs, pas plus ; le magasin prend l'eau, dit-il, malgré ma dernière trouvaille, mon chant du cygne : le vêtement de travail. J'ai les meilleures marques, Adolphe Lafont, Muzelle Dulac et Sonorco, mais il n'y a plus de travail Édouard, la grande distribution a tout détruit. Plus de travail donc plus de vêtements de travail. Plus rien. Mon cœur se serra. Dumbo ne volerait jamais.

De son côté, Claire avait rencontré un prince.

C'est lui je le sais. Elle me montra sa photo, il ressemblait davantage à Benny Andersson, le blond du groupe Abba qu'à Joe Dassin. Il est super-gentil, précisa-t-elle ; tu sais qu'il a adoré mon film adoré ? *César et Rosalie*, murmurai-je. Exactement, avec Romy Schneider, je l'adore et il aime Foreigner comme moi, surtout leur dernière chanson *I want to know what love is/I want you to show me* et il m'a offert *Madame Bovary*, et tu l'avais déjà lu la coupai-je. Oui, c'est lui, mon double, c'est mon prince, conclut-elle asphyxiée, les joues écrevisse.

Dans la vraie vie les princes n'emportent pas le cœur des filles. Ils les arrachent et les jettent. Je ne connais pas les mots pour cette douleur-là.

L'amante quant à elle suivait pas à pas l'unijambiste en espérant qu'il se *passe enfin quelque chose* ; après j'aurai cinquante ans tu comprends, me dit-elle, et ça sera tout.

Dans l'établissement blanc, des médecins voulaient tenter des expériences sur notre frère, notamment celle de *Sally et Anne* sur la théorie de l'esprit. Notre mère s'énerva. Mon fils n'est pas un cobaye. Vous pouvez vous mettre vos expériences où je pense, et bien loin. Non mais.

Nous étions à Paris depuis deux mois. L'état de Monique s'améliorait. Dans la journée, elle se promenait jusqu'au square des Batignolles. Le soir, en compagnie de madame Josée, elle donnait le bain à Mathilde. Mes économies fondaient à vue d'œil. Il me semblait que je ne trouverais jamais de travail chez les *ambrasmoekers*. Alors je fis la seule chose pour laquelle on m'avait aimé.

Je me remis à écrire.

Monique lâcha d'abord la lettre qui glissa sur le sol avec grâce puis ces quatre mots, dans un soupir :

— Je me suis trompée.

Monsieur,

Je suis lecteur pour le compte des éditions Gallimard. J'ai lu avec beaucoup d'intérêt votre pièce de théâtre intitulée « Les Villes ». Il y a une force et un cynisme formidables dans votre texte. Quelle maturité pour un écrivain de votre âge ! La trajectoire de ces deux personnages qui fuient ces villes qui les rattrapent toujours est une fabuleuse métaphore sur l'enfance perdue, la difficulté d'accepter cette perte. One et Two, vos personnages, ont raison. Grandir corrompt. Grandir salit. Grandir tue.

Mais avant d'être lecteur free-lance, je suis d'abord metteur en scène. Je dirige une petite compagnie basée dans le Calvados qui a pour nom « Allais, en scène ! » en hommage au célèbre Alphonse Allais qui naquit dans notre région, à Honfleur en 1854, tout comme Satie en 1866 ou encore un certain Boudin, en 1824, papetier devenu peintre, mineur certes, mais auteur de plus de quatre mille cinq cents tableaux. Vous l'aurez deviné, votre pièce m'intéresse et si vous m'autorisiez çà et là quelques modifications, notamment dans le deuxième acte que je trouve un peu répétitif, je serais ravi de la proposer à nos spectateurs (de plus en plus nombreux) lors de notre rentrée – dans notre petite compagnie on l'appelle sortie ! – théâtrale du printemps 86.

En ce qui concerne sa publication, et malgré ma fiche hautement enthousiaste, le comité de lecture ne l'a pas retenue. Ce n'est pas grave, rassurez-vous. Un texte de théâtre aussi puissant que le vôtre est fait pour vivre sur les planches. Pas pour mourir dans des pages blanches.

C'était signé Martin Bouet, *Allais, en scène !*

— Il y a aussi un message sur le répondeur.

— *Bonjour. Je suis Sylvia, directrice artistique chez FCB et je cherche un rédacteur. Vous pouvez me rappeler à l'agence. Merci.*

— Je me suis trompée, répéta Monique. J'ai cru que tu aurais besoin de moi. Que j'aurais pu t'aider pour tes livres. Mais tu n'as besoin de personne, tu n'as pas d'amour. Je te vois pleurer parfois quand ta fille rit, mais ce n'est pas de l'amour, peut-être de la gêne, peut-être ta culpabilité mais pas de l'amour. Et moi j'ai besoin d'amour et Mathilde aussi sinon on va devenir folles. Je ne t'ai pas quitté quand tu couchais avec cette femme à Bruxelles parce que j'ai pensé que c'était peut-être de ma faute, je t'avais laissé seul, j'avais été égoïste en choisissant le théâtre et je n'en ferai sans doute jamais, je voulais juste, un jour, pouvoir jouer un de tes textes. Le connard de la lettre a raison, *Les Villes* est une pièce magnifique je te félicite, mais il n'y a pas de place pour moi. Il y a deux hommes c'est tout. Il n'y a pas de place pour nous. J'ai longuement réfléchi. Je vais partir avec Mathilde.

Je fus pétrifié, incapable du moindre geste. Du moindre mot. Mais mon cœur ne s'emballa pas. Il battait même si lentement que c'en fut terrifiant.

Elle pleurait des larmes qui la lavaient.

Son visage parut soudain apaisé, son regard retrouva cette acuité qui m'avait troublé la première fois que je le vis, en cours de comptabilité, il y a un siècle déjà. Les mots étaient sortis. Les mots avaient vaincu ses peurs. Elle était forte désormais. Elle allait partir avec Mathilde, c'était aussi simple que cela. L'appartement allait être vide. Mon cœur serait vide. Ma vie serait vide. Elle se leva pour rejoindre la chambre.

— Nous partirons demain matin.

Elle ferma doucement la porte et dans cette apparente douceur, il y eut tout le poids du manque déjà d'une chose qui fut et qui n'est plus.

Sylvia Sinibaldi me reçut le lendemain.

Je l'observais tandis qu'elle tournait lentement les pages du dossier qui présentait les annonces que j'avais écrites en Belgique. Elle était discrètement jolie. Elle ne ressemblait pas aux *ambrasmoekers* que raillait Michael Goldstein, ces Françaises aux petits seins et aux gros bouts ; elle dégageait quelque chose d'élégant, cultivé, raffiné. Au mur étaient épinglées des annonces pour Charles Jourdan, Pioneer et Schweppes. Quand elle eut terminé, elle leva la tête, me dévisagea. Je rougis. Elle sourit, c'est bien, dit-elle, c'est un très beau dossier. Elle me fit alors rencontrer le directeur de création qui feuilleta rapidement mon book. T'es belge ? demanda-t-il. Non. Alors qu'est-ce que t'as foutu là-bas ? Je ne répondis pas. Mouais, pas mal. T'es à combien ? Je mis deux secondes à comprendre. Seize mille. Il se tourna alors vers Sylvia Sinibaldi. C'est lui que tu veux ? Oui, répondit-elle. Sûre ? Sûre. D'acc, je préviens la compta.

J'étais engagé.

Sylvia Sinibaldi m'emmena prendre un verre au bar-tabac qui était à deux cents mètres de l'agence. Elle riait ; son rire ravissant. T'aurais pu demander plus, dit-elle, l'agence est blindée, on vient de rentrer Schweppes et Gloria. Je haussai les épaules. Seize mille francs, soit près de quatre fois le Smic, me semblait être une fortune. J'allais pouvoir rembourser mon père, surtout envoyer de l'argent à Monique. Nous parlâmes plus d'une heure. Elle me parla de l'agence, des budgets sur lesquels nous aurions à travailler ensemble. Puis elle m'interrogea sur la vie à Bruxelles, les expos que j'avais vues ; elle connaissait la bande dessinée belge, Van Hamme, de Moor, Picha, Schuiten, Peclers ; elle avait adoré José Van Dam dans *Don Giovanni* de Losey ; elle avait découvert quelques années auparavant *Serres chaudes* de Maeterlinck et la poésie du Belge l'avait enchantée.

J'étais impressionné. Elle posa sa tasse de thé.

— Nous étions trois sœurs et notre père n'aurait pas supporté l'idée que nous *fussions* (elle leva les yeux au ciel) trois idiotes. Alors nous devions toujours avoir un livre dans les mains, j'ai continué et voilà comment je connais Maurice Maeterlinck, Prix Nobel de littérature en 1911, ce qui fait de moi une idiote cultivée !

Nous rîmes ; j'oubliai un instant la douleur de l'aube, lorsque Monique et Mathilde quittèrent l'appartement. De la fenêtre du salon, je les vis s'engouffrer dans le taxi tandis que le chauffeur chargeait les trois grosses valises dans la malle. Monique ne se retourna pas, il n'y eut pas de dernier regard ; je ne vis pas le visage de ma fille. La voiture disparut très vite en direction du boulevard de Clichy puis de l'avenue Cardinet, emportant avec elle nos rêves, nos désillusions, nos vies ratées. Je n'avais pas lavé les bols de notre dernier petit déjeuner, je les avais jetés ce matin

comme j'avais jeté les livres qu'elle avait laissés, les
revues, la photographie où elle a seize ans et porte une
robe légère de Laura Ashley qui laisse voir ses seins,
les produits de beauté qu'elle avait abandonnés sur le
rebord du lavabo. Il n'y avait pas eu de violence dans
mes gestes.

La voix de Sylvia Sinibaldi s'insinua en moi.
Quelque chose ne va pas ? Je la rassurai. Ça va, c'est
juste que c'est une journée incroyable pour moi ; je te
remercie Sylvia, ce boulot, ta gentillesse, tout, je ne
sais pas quoi dire.

Écris-moi de belles annonces, c'est tout.

Il fait nuit. Je marche dans l'appartement vide d'elles.

Dans la chambre flotte encore le parfum mat du talc ; de la poubelle de la salle de bains monte l'odeur des cotons humides de larmes. Le salon semble avoir été cambriolé, mais il n'y a nul dégât. Le plancher craque sous mes pas, c'est le seul bruit. Je n'avais jamais mesuré à quel point cet appartement était laid. Pourtant nous l'avions repeint en arrivant. J'avais posé du carrelage dans la salle de bains, des carreaux de dix centimètres carrés, jaune pâle avec frise bleue dessinés par… Laura Ashley ; j'avais passé une journée à le poser, fini les genoux en sang tandis que Monique dormait dans notre chambre, assommée de médicaments contre la douleur, contre moi, contre tout ce qui ne durait pas.

J'allume une nouvelle cigarette, j'ouvre la fenêtre ; le bruit de la rue fait trembler la vitre. Je regarde au-dehors. Il y a de la lumière chez le caviste en bas et bien que l'heure de la fermeture soit largement dépassée, on y entend des rires, des rires gras, des rires d'hommes seuls, des rires de malheureux qui ne font plus l'amour mais y pensent sans cesse. Du café à l'angle de la rue de la Jonquière sortent des hommes au bras des biches descendues du boulevard Bessières.

Je jette mon mégot. Le bout incandescent dessine une éphémère cicatrice dans le noir. Je referme la fenêtre et le silence est à nouveau là.

Je me souviens du jour où Dumbo m'annonça qu'il quittait ma mère.

Nous étions dans la voiture supersonique. Il conduisait très vite de peur que je rate le départ du train. Je crois aujourd'hui qu'il voulait que cela soit rapide ; éviter d'avoir à donner mille coups de couteau quand un seul suffit. Les larmes piquaient mes yeux. Alors tu me quittes aussi papa ? Non. Mais oui, un peu, tu as raison. Je t'aime, Édouard. Mais on quitte pas les gens qu'on aime, papa. Il freina brusquement. Nous étions arrivés devant la gare. Il tendit le bras, ouvrit la portière. Cours, tu as cinquante secondes pour l'attraper.

Je courus de toutes mes forces. En grimpant à bord du wagon je sus que ceux qui disent je t'aime sont des menteurs.

Qu'allais-je à mon tour laisser à Mathilde ? Je l'avais regardée dormir. Je lui avais moi aussi prononcé les mots menteurs. Étions-nous condamnés à transmettre nos déloyautés ? À être des empoisonneurs ? Serais-je un père comme mon père ? Un perdant ; celui qui perd les autres, comme il sembla, selon l'amante, qu'il nous ait perdus ce jour de tempête au Touquet. Serais-je sourd à mon tour à ce qui m'entoure ?

Où dors-tu cette nuit ma petite fille ? Est-ce que ta maman prend bien ses médicaments ? Dis-lui bien que le Mogadon c'est le soir, l'Humoryl le matin. Dis-toi que ton père est terrifié.

— Littéralement on pourrait dire arrogant, blessant, cassant, outrecuidant même, dit Sylvia Sinibaldi. Mais si on considère le nom et non plus l'adjectif, l'insolence définit le manque de respect, une forme d'effronterie, d'impudence, donc d'impertinence, une certaine hardiesse. Dans ce cas, tout ce que l'adjectif véhicule de négatif bascule en positif. Sylvia Sinibaldi sourit. Nous cherchions une idée pour le lancement de L'Insolent, le nouveau parfum de Charles Jourdan.

— Dans *Les Réflexions de monsieur F.A.T.*, Aveline écrit que l'insolence est l'arme des personnes bien nées. Donc, et bien qu'un adjectif masculin me semble curieux pour un parfum féminin, c'est dans l'effronterie qu'il faut chercher.

— Dans l'effronterie qu'il faut chercher.

— Dans l'effronterie.

Elle se mit à rire.

— Robert Walton a créé Victor Frankenstein et mon père moi. Rassure-moi, je ne t'effraie pas ?

— Je t'adore.

— Parce que beaucoup de gens me trouvent effrayante.

Je devais trouver une idée, lui offrir une belle annonce. Nous étions au cœur des années 80 ; Téléphone chantait *Un autre monde*, la publicité de Wizard Litière Fraîche nous montrait un chat qui faisait caca en lisant un journal, la crise du pétrole était loin, l'argent coulait à nouveau à flots, Eddie Barclay se mariait pour la septième fois, l'ostentation était de retour. Les brillants, l'or, l'argent, les nez Claoué, les prothèses de silicone, les chromes et les belles voitures.

Sylvia Sinibaldi avait un léger sourire lorsque je relevai la tête.

— Elle écrit un truc sur sa voiture ! m'exclamai-je.

Son sourire illumina mon cœur.

Trois semaines plus tard, elle fit photographier devant le restaurant du Pont Louis-Philippe, quai des Célestins, un magnifique coupé Fiat 2300 S de 1961 rouge dont tout le côté conducteur était taggé d'un insolent *Rendez-vous 16 h*. À la poignée de la portière, elle avait accroché un foulard noir qui rappelait le design du bouchon du parfum.

Notre campagne fut sélectionnée cette année-là, comme celles que nous fîmes pour La Laitière de Chambourcy, le lait Gloria et les cigarillos Café Crème d'Henri Wintermans.

Bref tout ce qui rendait les gens gros, mortels et prodigieusement heureux.

Ma mère ne pleura pas. Elle cria.

Elle cria sa colère contre l'échec de mon mariage. Du sien. Contre le fait de n'avoir pas un fils héroïque mais un gamin capricieux, on ne se comporte pas comme ça quand on a un enfant. On s'écrase, on encaisse, mais on ne part pas ! Puis elle raccrocha. Puis elle rappela aussitôt.

— Je t'ai dit que Xavier (l'Anglais) m'avait invitée à Jérusalem ? J'ai toujours rêvé de voir Jérusalem. Je prierai pour toi, pour Monique et la petite Mathilde. Un temps. Mais ne va pas déjà t'imaginer des choses, on est dans la phase du *statu quo* comme il dit. Dans la patience qui précède les grands désirs.

J'eus envie de lui dire de se méfier ; un homme qui passe tant de temps avec une femme, l'ensorcelle sans jamais lui effleurer le bout des doigts ne peut pas être tout à fait honnête. Mais vous aurez noté que j'étais assez mal placé pour donner un quelconque conseil conjugal.

Elle rappela quinze minutes plus tard. Je ne vais pas à Jérusalem finalement. Je lui ai dit qu'il était extrêmement prétentieux de m'inviter aussi loin, dans un endroit aussi chargé de sens et d'Histoire sans qu'il ait clarifié sa position vis-à-vis de moi. Je ne suis pas sa domestique. Tu lui as dit ça ? Domestique, non, mais le reste oui. J'ai bien fait ?

J'aimais ma mère et j'adorais l'amante. Mais la vie est cruelle.

Si on dit qu'un bonheur n'arrive jamais seul, les ennuis, eux, arrivent toujours en bande.

En quelques semaines, trois événements changèrent le cours de nos vies.

Claire connut l'ivresse joyeuse de la probabilité d'une maternité puis la joie hystérique d'avoir à l'annoncer au futur papa puis une inguérissable gueule de bois lorsque celui-ci descendit chercher une bouteille de champagne et ne revint pas. Le prince avait ravi le cœur de la belle et l'avait abandonné aux chiens dans le fossé parmi les papiers gras, le mépris, la merde. Claire pleura sans discontinuer pendant trois jours et trois nuits ; sa peau devint grise et sèche et dure comme les galets des rivières. Elle demanda à rejoindre notre frère. Elle murmura *eur, eur, eur* la main sur son cœur et nous comprîmes tous qu'il s'était pétrifié.

L'Anglais fut retrouvé roué de coups avec sa propre prothèse dans une rue piétonne du Vieux-Lille.

Et un oiseau, un minable moineau se jeta sur le pare-brise de mon auto et y laissa, outre quelques plumes, un petit cœur de la taille d'un grain de grenade qui explosa ; une giclée garance.

Le choc me glaça. Je pilai, stoppai en tremblant la voiture sur la bande d'arrêt d'urgence.

L'autoroute A1 était fluide, nous étions en semaine. Je remontais sur Paris après avoir passé quelques heures ensemble avec Claire et ma mère. Nous avions aidé *la malheureuse* du mieux que nous pûmes, mais que répondre à une sœur de vingt-deux ans qui vous demande si elle doit ou non garder son bébé ? Quels mots pour guérir la peau de galet, le cœur de pierre ? Quel baume contre le déshonneur d'un avortement ? Ça sera quoi ma vie si je le garde ? On me montrera du doigt, aucun homme ne voudra d'une fille larguée avec un môme, on se demandera pourquoi, on pensera que je suis une pute. Une pute ! Ma mère pleura. Je pleurai. Essuie tes larmes, me souffla ma mère, trouve des mots, c'est toi l'écrivain de la famille, merde.

Dans la voiture, mes spasmes furent plus forts. De la bave jaillit de ma bouche ; une écume blanchâtre, nauséabonde, qui dessina sur mon menton l'épouvantable mot.

Mort.

À cette seconde, je compris que notre frère était mort. À la seconde où mes doigts tremblants étalèrent la bave sur mon visage plus qu'ils ne l'ôtèrent, je sus que ses ailes s'étaient repliées en plein vol, qu'il était tombé, s'était écrasé, les oreilles sans doute emplies de la voix de Cabrel, *C'est pas grave/Ce sont mes dernières larmes/C'est pas grave/C'est mon dernier appel avant de me taire/C'est ma dernière chanson avant la guerre*[1], ou d'une chanson à refrain de Fred Mella.

---

1. Francis Cabrel, « Dernière chanson », *Fragile*, 1989.

Je ne pleurai pas. Quelques images défilèrent devant mes yeux. Notre frère en train de rire aux éclats dans la baignoire, il y a très longtemps, quand nous ne savions pas encore. Sa surprise lorsqu'il goûta pour la première fois à un ourson fourré à la guimauve ; sa grimace. L'incroyable regard qu'il posa sur sa main ensanglantée lorsqu'il brisa accidentellement un verre. Ses frayeurs lorsque Dumbo et l'amante criaient, lorsque certains mots se fracassaient sur le sol, *salière, assiette* ou *colère*. Ses ailes qu'il ouvrait pour me prendre dans ses bras et nous protéger des bruits du monde.

Je mis le moteur de la voiture en marche. Était-il possible qu'il fût vraiment mort ?

Je m'arrêtai à la station-service suivante pour téléphoner. Je laissai sonner longtemps chez ma mère. Longtemps chez Claire. Les renseignements me communiquèrent le numéro de l'établissement blanc. Lorsque j'eus enfin une secrétaire en ligne, elle me répondit sèchement : ce ne sont pas des informations que l'on donne au téléphone à des inconnus, dit-elle, mais je suis son frère, hurlai-je, son frère, il ne quitte jamais son Walkman, il chante mais sa voix reste enfermée en lui, je sais qu'il aime écouter les Compagnons de la Chanson, Gérard Manset, Cabrel, eh bien moi je n'en sais rien, lâcha-t-elle avant de couper la conversation. Va crever, sale merde.

Je bus un café fort, me brûlai la langue, repris la route. Il restait soixante-dix kilomètres jusqu'à Paris. Je roulais à cent soixante kilomètres heure, aussi vite que le permettait ma voiture ; le tableau de bord tremblait, les grilles du chauffage dansaient la gigue, la voiture allait exploser.

Le caviste se précipita lorsque j'arrivai enfin rue Pouchet. Son haleine était chargée des primeurs qu'il venait de recevoir et de boire, votre maman, votre maman, souffla-t-il, elle m'a dit pour votre sœur, c'est terrible, faut la rappeler vite, il est arrivé quelque chose, entrez, elle m'a laissé un numéro, c'est grave elle a dit, tenez, appelez-la d'ici, pendant ce temps, je vous prépare un coup, j'ai un cabernet pour des moments comme ça, oh oui, un bon cabernet pour des moments comme ça.

En trois jours, notre frère avait eu une nouvelle infirmière, une nouvelle chambre et un nouveau camarade de chambrée.

Le quatrième, il sauta par la fenêtre. Il déploya alors ses ailes. Celles-ci ne s'ouvrirent pas. Le corps sans ailes chuta. Il ne fit aucun bruit. Juste un bruit d'ailes. Puis il s'écrasa quinze mètres plus bas sur les vertèbres cervicales d'un enfant accroupi qui torturait un lombric avec un bâton.

Le corps du tortionnaire amortit la chute de celui de notre frère, ce qui aurait pu le sauver, mais sa tête rencontra la pointe tordue de la grille du vasistas de la cave. Ce fut comme si la flèche d'un chasseur s'était plantée dans la tête d'un oiseau. Aucun bruit ; un silence plus dense encore. L'amateur de lombrics eut la nuque brisée et son corps s'immobilisa aussitôt. Celui de notre frère continua à s'agiter tandis qu'une flaque de sang s'élargissait sous sa tête empalée.

Alors seulement il y eut des cris.

Le plus terrible d'entre eux fut celui de ma mère.

Elle hurlait et le caviste pleurait. C'est horrible, disait-il, les enfants ne devraient jamais mourir. On ne fait pas des enfants pour qu'ils meurent. Je lui fis signe de se taire, je n'entendais pas ma mère. Qu'est-ce qu'on va devenir, demanda-t-elle, qu'est-ce qu'on a fait au bon Dieu pour être punis comme ça ? Votre frère meurt mais votre sœur porte la vie ! hurla soudain le caviste, les yeux injectés comme s'il venait de découvrir le buisson ardent dans l'éclat pourpre de son cabernet.

Nous n'eûmes soudain plus d'histoire.

Dumbo et l'amante étaient à nouveau réunis. D'une certaine façon, Claire, notre frère et moi l'étions aussi. Monique était à mes côtés et Mathilde dans mes bras ; j'aimais soudain sa chaleur, ses yeux ronds, clairs, ses gencives édentées qui cisaillaient mes phalanges, ma fille était belle et vivante, elle me manquait depuis l'aube violette où un taxi l'avait emportée. Anne Hannah et ma belle-mère et le joueur de tennis et le caviste et sa sœur madame Josée et ma marraine et Jacques Anquetil que personne ne reconnut et les employés du magasin et Sylvia Sinibaldi et les cousins puceaux et le directeur de l'établissement blanc et l'infirmière coupable et le carreleur Piotr Skrzypczak qui crut que c'était l'ancien mari de la fiancée de son employé (le sprinter) qui était tombé et Michael Goldstein et le docteur Boucher et cent autres étaient là, dans l'église froide, immense, où les mots de l'homélie du prêtre s'envolaient, se cognaient aux voûtes comme les phalènes aux ampoules de lumière et retombaient, incompréhensibles et vains, aux oreilles de notre peine.

Nous étions tous réunis. Il ne manquait que l'Anglais que les pompiers emportaient au même moment toutes sirènes hurlantes vers l'hôpital. Monique prit ma main lorsque ma mère fit ses adieux à notre frère. Dumbo lui ouvrit ses bras lorsqu'elle redescendit dans la nef, le regard brûlant ; il sembla avoir soudain mille ans et si la tristesse qui mène un jour au défaussement de soi avait un visage elle aurait celui-ci. Claire posa sa main sur son ventre plat et pleura. Michael Goldstein chuchota à l'oreille de Sylvia Sinibaldi. Anne Hannah disparut quelques instants. Jacques Anquetil tendit un petit bristol au directeur de l'établissement blanc. Mathilde me sourit, chercha à attraper mon nez. Pour quelques instants, autour du corps de notre frère, il n'y eut que les choses parfaites, les sentiments premiers, les heures d'avant le chaos de la vie. Pour quelques instants mon père et ma mère furent de nouveau ensemble. Pour quelques instants Claire fut heureuse et pour quelques instants, Monique, Mathilde et moi fûmes une famille.

Le chant d'envoi, alors que les croque-morts emportaient le cercueil, fut un de ces moments qui marquent toute une vie.

Nous chantâmes tous la chanson qui avait pour titre *Tristesse*[1] et qu'il aimait tant, une chanson qu'il avait usée sur son mange-disque.

Nous la chantâmes de toute notre âme mais aucun son ne s'envola de nos gorges.

Comme Hadrien, notre frère, nous chantâmes tous en silence.

Ce fut assourdissant de beauté.

---

1. Tino Rossi, 1939. Paroles de Jean Loysel. Musique : Frédéric Chopin, Opus 10 n° 3.

En perdant un fils, l'amante perdit le rire, la joie et la foi.

Elle prit l'agression de l'Anglais comme une fatalité sémiologique qu'elle traduisit par *nous ne marcherons pas ensemble*. Elle le visita deux fois à l'Hôtel-Dieu et lui fit ses adieux. Elle ne tint pas à connaître les raisons de ce fait divers ni pourquoi l'éminent auteur d'un opuscule sur Notre-Dame du Saint-Cordon s'était retrouvé cet après-midi-là dans cette rue-là au milieu d'une bagarre qui avait semblé opposer des marcheuses et des julots.

Au lendemain de l'enterrement de son fils, elle renonça à ses élégantes cigarettes mentholées pour d'ordinaires Pall Mall. Elle abandonna les cours de théologie, jeta les polycopiés qui traitaient du *De natura deorum* de Cicéron et brûla ses notes sur le pyrrhonisme ; sa colère fut froide, définitive. En tombant, l'ange avait fait s'envoler ses rêves d'éternité, de pardon et d'amour. *L'amante* perdit son nom, redevint notre mère. Elle fit le deuil de ses désirs, des Solal de ce monde, elle renonça à tout, à sa propre vie et ne s'accrocha plus qu'à celle, microscopique, qui germait dans le ventre de sa fille. Elle quitta son appartement de Lille, en loua un avec deux chambres, à Croix (ma croix, disait-elle) dans lequel elle accueillit *la malheureuse* et l'enfant à venir. Elle fit ses adieux à celles de ses amies lilloises qui ne manqueraient pas de médire et de maudire. Elle s'inscrivit à un cours de yoga pour futures mamans, pour aider ta sœur, tu comprends, s'il y a des complications, je dois rester calme maintenant. Elle arrêta la viande, le sucre, le café. Elle coupa ses cheveux et choisit de ne plus cacher les fils blancs par de la teinture. Elle vieillit d'un coup et n'en fut que plus belle.

Dumbo s'était envolé juste après la messe. Il n'avait pas accompagné le corps de son fils au cimetière. Anne Hannah nous envoya un mot. Son écriture avait tremblé. Il s'est senti mal pendant l'office, écrivit-elle, votre papa ne va pas très bien. Puis les mots furent illisibles jusqu'à celui-ci : système limbique. Plus loin nous déchiffrâmes *je vous tiens au courant* et enfin, un dernier mot, prières.

Notre mère posa le courrier de la seconde épouse sur le bras du canapé en murmurant, elle ne sait pas s'en occuper, elle n'a pas compris, elle ne sait pas pour l'Algérie, elle ne sait rien.

Je sus à cet instant qu'elle n'avait cessé de l'aimer.

Jamais personne ne sonnait.

Aussi fis-je un bond lorsque la sonnette retentit. Il était près de vingt heures, nous étions en hiver. J'allai ouvrir. Surprise. Monique et Mathilde. Elles se tenaient par la main. Mathilde flageolait sur ses jambes. Elle marche depuis une semaine, dit Monique, et quand je lui ai demandé où elle voulait aller maintenant qu'elle marche, elle a répondu voir papa, je veux aller voir papa.

Je me penchai, pris ma fille dans mes bras. Elle sentait le froid et la réglisse. C'est madame Josée qui m'a donné ta nouvelle adresse.

— Entrez vite.

Nous allâmes nous installer au salon, dans le grand canapé Ikea. Moment de gêne, comme une nausée. Elles gardèrent leurs manteaux. Mathilde se dirigea vers les tranches colorées des revues sur la table basse, se prit le pied dans le tapis. Je bondis. Monique me retint, laisse, laisse-la, elle doit apprendre, et Mathilde ne tomba pas. Nous la regardâmes renverser les piles de magazines ; surtout ne pas croiser nos regards. Cinq mois qu'Hadrien avait été enterré, cinq mois déjà sans s'être revus. Elle était retournée chez sa mère, aidait au bar du club de tennis de son beau-père; elle me téléphonait de temps à autre des nouvelles de notre fille et c'était tout. Notre couple n'était plus rien.

Mathilde se lassa assez vite du désordre et vint rejoindre sa mère. En moins de cinq minutes, elle s'était endormie. Alors nous nous retrouvâmes seuls, Monique et moi.

Dans la cuisine, je préparai un café que nous ne bûmes pas. Nous nous dévisageâmes enfin. Elle avait perdu du poids, changé de lunettes. Elle portait des bracelets que je ne connaissais pas. Elle n'avait pas de maquillage, juste un air plus vulnérable. Je vis un premier cheveu blanc. Elle vit mes cernes nouveaux, ma pâleur, devina les heures de travail; elle regarda la chemise que je portais, que nous n'avions pas achetée ensemble; vit la peau bistrée de mes doigts, la nicotine et la porcherie. Elle eut enfin un sourire précaire, sa poitrine se souleva, elle inspira, chercha ce surplus d'oxygène qui cause parfois le vertige nécessaire pour oser enfin plonger.

— Je suis désolée, souffla-t-elle.

— Vous pouvez rester, murmurai-je.

Il y a *quinze secondes* entre l'ombre et la lumière.

Sylvia Sinibaldi et moi travaillions depuis deux jours sur une campagne de publicité pour le gain du budget des bonbons Lutti lorsque je me levai et me mis à danser, pataud, joyeux, bon chien. Sylvia Sinibaldi sourit, amusée.

— Grâce à mon cher père, mon cher Édouard, j'ai eu vent des tentatives un peu vaines de Ray Birdwhistell pour construire une analyse kinésique, soit du langage non verbal tu l'auras deviné, mais ça ne m'aide pas à comprendre ce que tu es en train de me dire.

J'allumai alors une nouvelle cigarette et retournai au langage verbal.

— Il y a quelques années, j'attendais un train gare du Nord. Je commis une erreur. Lorsque le train arriva, je le pris.

— Ce qui n'est pas non plus un *contresens* quand on est dans une gare.

— Mais ce n'est pas le sujet. Ce soir-là une jeune fille me demanda une cigarette. Je lui tendis mon paquet, il n'en restait qu'une. Alors elle me dit *c'est ta dernière, j'vais pas t'la prendre quand même.*

— Et alors ?

— Et alors je crois qu'on a une campagne de pub qui déchire.

Quatre mois déjà que Monique était revenue.

Elle occupait avec Mathilde la seconde chambre de cet appartement que j'avais loué près de la Porte Maillot après leur départ un matin d'ombres.

Parfois la nuit Monique sanglotait. Parfois la nuit je restais immobile, les yeux ouverts, desséchés. Une nuit, elle entra dans ma chambre et s'allongea sur le lit. Nos doigts ne se frôlèrent pas. Nos jambes ne s'effleurèrent pas. Nos corps morts. Lourds. Puis plus tard, sa voix, comme un filet d'eau.

— Mais qu'est-ce qui nous est arrivé ?

Me revinrent alors les paroles d'une chanson à succès des années 70 de Daniel Guichard, *La tendresse/ C'est quelquefois ne plus s'aimer mais être heureux/De se trouver à nouveau deux*[1].

— Mais qu'est-ce qui nous est arrivé ? C'était si difficile de m'aimer ?

Je n'eus rien à répondre. Je n'avais pas le prétexte d'un crime dans la Sebkha de Chott Ech Chergui ; et j'en ressentis presque de la honte.

---

1. Daniel Guichard, « La Tendresse ». Musique composée par Patricia Carli, 1973.

Lorsqu'elle finit par s'endormir à côté de moi, je me levai doucement, la couvris avec les draps et comme un voleur quittai mon propre appartement. Dehors, les cafés du bas de l'avenue de la Grande-Armée ouvraient leurs comptoirs au monde gris d'entre la nuit et le jour. S'y côtoyaient des cafés serrés, des cognacs, des demis, des noisettes, des croissants dorés, des cornichons aigres ; des odeurs de tabac froid, de désodorisant, de transpiration.

Les films Lutti duraient chacun *quinze secondes*.

Ils s'inspiraient de la réaction de cette fille gare du Nord qui avait renoncé à prendre la dernière cigarette de mon paquet sous prétexte justement qu'elle était la dernière.

Assise sur le banc d'un jardin public, une gourmande savoure un Lutti. Un homme s'approche, lui en demande un. Elle hurle aussitôt *au viol ! Au viol !* L'homme prend ses jambes à son cou. La jeune fille coule alors son regard dans la caméra, ravie de son bon tour. Une voix off conclut : *Un Lutti d'offert, c'est un Lutti de perdu*. Les spectateurs étaient morts de rire.

Nous réalisâmes plusieurs films dans cet esprit caustique. La campagne obtint un Lion d'Or à Cannes.

En *quinze secondes*, j'entrai dans la lumière. Ma fortune était faite. Mon malheur aussi.

QUATRE-VINGT-DIX

Mathilde eut quatre ans, Jeanne un – Jeanne est notre seconde fille, et Dumbo vendit le magasin.

Davantage encore que le magasin lui-même, ce furent l'emplacement et les murs qui intéressèrent l'acheteur. Ce qui put être renvoyé aux fournisseurs le fut (vêtements de travail, tissus non feu et boutons Pingouin pour blazers, blouses et corsages) et ce qui devait être liquidé donna lieu à trois jours de soldes monstres. Chaque matin, dès sept heures, une queue commençait à se former devant le magasin ; le mercredi, on vit même une voiture immatriculée dans la Sarthe y ralentir puis s'arrêter et une forte femme en descendre. Dumbo se frottait les mains, les affaires reprennent, les affaires reprennent, marmonnait-il et ma grand-mère que Dieu semblait avoir oubliée balança la douche froide, mais c'est la fin, mon petit, c'est ton désastre, ton Titanic ! Les mots glacés ne semblèrent pas l'atteindre. Dumbo était heureux ; un instant il fut très beau (*Dumbo-beau*) et on eût dit, alors qu'il se tenait à mi-hauteur du grand escalier pour voir la porte principale s'ouvrir et les clientes apparaître, gracieuses et vives comme une eau, glisser, fondre sur les articles à prix cassés, les tissus bradés, les tringles à rideaux offertes, les damás et les velours sacrifiés, les nuisettes par lots de cinq et la mercerie à prix coûtant, on eût dit un artiste, comme cette Coco Chanel qui suivait ses défilés dans l'ombre de son escalier. Il resta là les trois jours que dura l'agonie du magasin. Au soir du dernier jour, il n'y eut pratiquement plus aucune marchandise dans les rayons, plus de chemises ni de sous-vêtements sur les étagères. Les soldes monstres avaient tout emporté. Même le parfum Éminence qui jusqu'ici n'avait pas été en odeur de sainteté trouva preneur.

Et tandis que M. Levineux, gardien du temple depuis 1967, fermait la porte principale pour la dernière fois en ce soir du troisième jour, Dumbo descendit lentement le grand escalier.

Le personnel épuisé le regarda descendre et retint son souffle lorsqu'il posa le pied sur le sol et fit quelques pas au milieu des tissus arrachés, des papiers de soie déchiquetés, des étiquettes piétinées, des anneaux et des pinces à rideaux cassés ; le regarda alors qu'il écrasait ce qui fut sa vie.

Dumbo se baissa, ramassa un ciseau de tapissier qui aurait pu blesser quelqu'un ; deux pas plus loin, il récupéra une paire de lunettes dont l'un des verres était brisé, un billet de cinquante francs. Il posa ses trophées sur un long comptoir de bois blond avant de regarder un à un ses employés restés à bord de ce grand paquebot, cet *Au bonheur des dames* moderne. Il leur sourit et dit d'une voix très basse, allez, il faut tout ranger, on ouvre à neuf heures demain matin.

Il n'y eut aucun sourire. Aucune réaction. Juste une immense tristesse.

M. Levineux éteignit les dernières lumières et baissa le rideau de fer. Avec du papier de verre, il griffa, pour les effacer, les horaires d'ouverture peints sur la tôle. Sur le trottoir désert, il prit Dumbo dans ses bras. Puis il me prit dans ses bras. Puis il disparut.

Dumbo et moi marchâmes jusqu'à chez lui où Anne Hannah avait organisé un dîner. Elle rêvait d'un dernier moment de joie avant le matin cruel, celui où les pelleteuses du nouveau propriétaire viendraient définitivement raser l'histoire d'une famille dont le grand œuvre fut édifié en 1830, offrant brocarts, dentelles perlées, feutrines, jacquards, taffetas et autres wax hollandais aux coquettes d'alors ; un grand magasin qui avait su résister aux bombes de deux guerres mondiales, aux pavés de 68, à l'arrivée de l'informatique mais pas à celle des grandes surfaces et de leurs robes toutes faites, sans grâce ni doublure, dans des tissus médiocres, cousues par des enfants au bout du monde.

Quand chacun fut installé, notre grand-mère se leva, porta un toast affecté à la mémoire de son mari qui avait su résister aux tempêtes, lui, et tempêta contre son fils qu'une petite bourrasque avait emporté. Il y eut quelques murmures contrariés quand elle eut fini. Dumbo se leva à son tour, nous remercia tous d'être là, ses rares amis, sa famille, ses petits-enfants, il nous remercia de lui avoir donné la force de tenir jusqu'ici, reconnut quelques erreurs comme les vêtements de travail à une période où personne ne trouvait plus de travail, les survêtements Jacques Anquetil et le parfum Éminence. Puis il annonça qu'il envisageait d'agrandir le magasin, ce qui porterait sa surface totale de vente à mille six cent cinquante-neuf mètres carrés, de vendre de nouvelles marques de chemises, comme Pierre Clarence, peut-être même Pierre Cardin et tandis qu'il énumérait d'autres griffes à venir comme Finebelle ou Absorba on eût pu entendre une mouche voler.

Dans un effroyable silence.

Claire se pencha vers moi autant que son énorme ventre le lui permit et murmura c'est le contrecoup qui lui fait dire n'importe quoi, une trop grosse émotion, tu te rends compte, vingt-sept ans au magasin et du jour au lendemain, paf, plus rien, une pelleteuse et bientôt, une banque à la place ; ça a de quoi rendre *niqu'doule.*

Quand Dumbo se rassit, Anne Hannah se mit à rire, un rire nerveux, inquiet. Elle souhaita à tout le monde un bon appétit. Alors le vin coula et les voix s'élevèrent. Alors un extra apporta les plats et la joie de la ripaille emporta toutes les amertumes.

Plus tard, nous fûmes tous assis en cercle, au salon ; on eût dit une veillée funèbre ce qui d'une certaine manière fut le cas. Mon père était à côté de moi. Il fumait beaucoup et buvait beaucoup de cognac. Jeanne s'était endormie dans les bras de Monique et Mathilde jouait avec ses poupées dans l'une des chambres. La fumée des cigarettes et des cigares brûlait les yeux. On parlait fort parce qu'on parlait du passé et que le passé nous manque toujours. Anne Hannah fit servir des chocolats belges et des liqueurs. Claire but un verre de Chartreuse verte cul sec et eut aussitôt les larmes aux yeux. Lorsque je lui fis la réflexion que c'était une boisson à cinquante-cinq degrés, *une boisson d'homme*, pour reprendre le mot de Fernand Naudin alias Lino Ventura dans *Les Tontons flingueurs*, elle fit non de la tête.

— Non c'est pas ça, pleura-t-elle doucement, j'ai de la peine pour papa. Elle renifla. C'est flippant de voir quelque chose partir sans que tu puisses le retenir. Le pire c'est que t'en veux plus à ta propre faiblesse qu'à la lâcheté de celui qui part. Sers-m'en un autre Édouard. Je protestai ; mais le bébé ! Sers-m'en un autre, que j'accouche, qu'on en finisse.

Et la fatigue et l'ivresse eurent raison de nous. Nous nous apprêtâmes à partir. Anne Hannah était nerveuse. Vous croyez que ça s'est bien passé, nous demanda-t-elle, qu'il est content ? Ça va être dur demain pour lui. Se lever, n'avoir rien à faire. Plus de magasin. Plus rien. Pour tout vous dire, ça me terrifie. Moi, demain j'ai mon travail et l'idée de le laisser là tout seul, dans cet appartement, toute la journée, ça me fait peur. J'en ai des vertiges. Claire lui proposa alors de passer le lendemain, si le petit n'est pas encore né ; tu es gentille Claire, tu as un cœur d'or.

Je retrouvai mon père dans l'entrée. Ses yeux brillaient. Il me serra dans ses bras. Je suis content que tu sois venu, dit-il. Mais je ne comprends pas pourquoi ton frère n'est pas avec nous. C'était important qu'on soit tous réunis, je comptais sur lui.

Dans mon sang, la chaleur de l'alcool fit soudain place au froid du chagrin. Je me sentis défaillir. Je portai ma main à ma bouche. Dis-lui de m'appeler, poursuivit Dumbo. J'aperçus alors Anne Hannah par-dessus son épaule, elle baissa aussitôt les yeux, s'enfuit dans la cuisine. Je ramenai à nouveau mon regard sur le visage de mon père. Il regardait ailleurs. Il était ailleurs. Il alluma une nouvelle cigarette.

Quelque chose s'était passé. Quelque chose avait cassé.

Il était près de vingt et une heures lorsque le téléphone sonna.

Ce fut Monique qui décrocha. Elle écouta. Le sang sembla quitter son visage, le pourpre de ses lèvres vira au gris ; alors elle me tendit le combiné. Bonsoir monsieur, dit une voix de jeune fille. La voix avait la couleur du malheur. Je m'appelle Salma Devos, je suis la fille d'Annie Vachon. Je fus abasourdi. Voilà, nous y étions. Mon fantôme avait une fille et les nouvelles étaient mauvaises. Maman est morte d'une pneumonie, il y a dix jours. Je m'assis. Elle avait un sida depuis plusieurs années, précisa Salma Devos, alors je voulais vous prévenir parce que c'est ce qu'elle aurait finalement aimé qu'on fasse. Aucun son ne put sortir de ma gorge. Mes larmes jaillirent, claires, translucides ; filles de la douleur et de la peur. J'ai lu votre nom dans un carnet, parmi quatre cent quatre-vingt-dix-sept autres noms, j'ai eu du mal à vous retrouver. Voilà, c'est fait, je vous ai prévenu, j'espère qu'elle ne vous l'a pas transmis. Elle allait raccrocher. Je ne voulais pas. Je devais en savoir plus.

— Elle vous a parlé de moi ? criai-je soudain.

— Non.

— Elle n'a pas…

— Non monsieur, coupa-t-elle.

— Elle a souffert ?

— On souffre toujours.

— Mon Dieu…

— Mais elle était heureuse. Elle sentait que ça partait.

— Qu'est-ce qui partait ? Je ne comprends pas.

— Le poisseux, monsieur. Elle trouvait tous les hommes poisseux, sales, gluants. (Un temps.) Je suis désolée.

Et elle raccrocha.

Je gardai longtemps le combiné dans la main. La note aiguë de la tonalité « occupé » était le dernier fil qui me liait à elle.

Je pensai à son sourire le jour où elle entra pour la première fois dans mon bureau à Bruxelles. Son rire lorsqu'elle se moqua de moi alors qu'elle avait commandé un verre de vin et moi un café. *Et pourquoi pas un verre de lait, mon bébé ?* Son corps, sa chair, ses aréoles amarante, ses seins lourds, les vergetures qui dessinaient des barbelés sur son ventre, notre boucherie, nos plaisirs crus et sa voix brisée, toujours, après, *va-t'en maintenant, dégage, fous le camp.* Je ne pleurai plus. Il me sembla même que j'eus un léger sourire.

Puis je relevai la tête. Monique était là, debout, elle n'avait pas bougé. Elle me regardait. Son regard était noir ; noir comme les nuages avant les très grands orages, ceux-là qui emportent tout, les bêtes, les toits des maisons, la raison. Je reposai le combiné, la tonalité hystérique se tut et nous fûmes alors seuls dans le silence.

Tu l'aimais ? me demanda-t-elle. Oui, répondis-je. Alors l'orage éclata.

Le corps de Monique fit une rotation sur lui-même, ses bras comme deux éclairs déchirèrent l'espace et consumèrent tout ce qui était sur leur trajectoire : lampe sur pied, bibelots, revues, chaises, table, porte-photos, cendriers, coussins, télévision. En un instant, la foudre de Monique mit le salon à sac puis atteignit mon visage ; les griffes de ses éclairs se plantèrent dans ma chair, je sentis le sang affleurer, je ne me protégeai même pas et Monique frappa, frappa, frappa jusqu'à ce qu'elle vît mon visage horrifique, écarlate ; de mes yeux aussi suintait du sang. Elle se pétrifia un instant puis porta les mains à son propre visage, pour cacher ses yeux. Ses mains étaient incarnates et tremblaient.

Soudain, Mathilde hurla. Monique se précipita.

La vie est ironique.

Pendant près de douze semaines je portai sur le visage les griffures qui séchèrent puis firent place à des croûtes grenat lesquelles tombèrent – lorsque je ne les enlevais pas moi-même – pour révéler de fines cicatrices blanches qui disparaîtraient avec le temps et à l'ombre du soleil, avait précisé le médecin.

Pendant ces douze semaines, Sylvia Sinibaldi et moi eûmes à concevoir une campagne de prévention contre le sida. La vie est ironique vous disais-je. La publicité faisait l'apologie des tests de dépistage, anonymes et gratuits. Nous imaginâmes des annonces très informatives, insistâmes sur le côté anonyme et gratuit justement et dans un clip, des gens expliquaient en quoi la connaissance de leur statut sérologique leur permettait de mieux gérer leur sexualité. L'ensemble n'était pas très créatif à l'instar de Lutti mais eut le talent d'inciter un grand nombre de personnes à se faire dépister.

Dont moi.

Je me rendis dans un centre de dépistage à Clichy, un matin tôt, dissimulé dans la pâleur de l'aube. On ne prit pas mon nom. On me donna un numéro. On me fit une prise de sang. On me demanda si je pensais avoir eu un comportement à risque. Je ne répondis pas. On me pria de revenir deux jours plus tard, avec le numéro. Pendant ces deux jours, mon cœur battit plus vite. J'eus peur. Pas tant d'avoir le sida que de mourir. De pourrir. Être avalé, déchiqueté par cette maladie qui scandalisait la chanteuse Barbara parce qu'elle faisait « crever par là où on avait aimé ». Sylvia Sinibaldi savait ma peur. La recherche va aller vite, dit-elle pour me rassurer, elle ne laissera pas la morale et son ballet de représailles gagner la partie ; ce n'est plus seulement une maladie d'homosexuels et de toxicomanes maintenant, c'est aussi une maladie de bourgeois, de notaires, de petits patrons, de fils de famille. Je ne dormis pas. Avais-je contaminé Monique, mes filles ? Avais-je contaminé celles qui avaient succédé à Annie Vachon ? Étais-je un criminel ?

Deux jours plus tard, je retournai à Clichy. La nuit tombait cette fois. J'attendis assis sur une chaise qu'on appelât mon numéro. Face à moi, une jeune fille tenait un document. Ses mains tremblaient. Elles se refermèrent soudain sur le papier avec la même brutalité qu'elles auraient mise à étrangler un poulet. Elle cria. Une infirmière accourut, puis une seconde. La jeune fille hurla. Aujourd'hui encore son *je ne veux pas mourir, s'il vous plaît* me réveille la nuit.

Ce fut à moi. J'entrai dans le bureau du médecin. Lui tendis mon numéro. Il chercha ma feuille dans une boîte. Lorsqu'il la trouva, ce qui me sembla prendre des heures, il la lut. C'est négatif, lâcha-t-il enfin. J'eus un haut-le-cœur. Négatif, balbutiai-je, le test est négatif ? Le médecin sourit, s'approcha, non,

non, ne vous inquiétez pas, négatif, ça veut dire qu'on n'a pas trouvé d'anticorps anti-VIH dans votre sang, vous n'avez pas le sida, c'est ça que ça veut dire. Vous êtes sûr ? Oui, le test est sûr. Et ça ne risque pas de venir ? Si vous avez des rapports protégés, il n'y a pas de raison. Je me tus un instant. Il me regarda. Vit mes lèvres qui tremblaient. Vous aimeriez me dire quelque chose ? demanda-t-il d'une voix plus douce. Je relevai la tête. Mes yeux piquaient.

Quelqu'un est mort, c'est tout, murmurai-je. Quelqu'un d'important.

Quand vous êtes dans la lumière, les filles qui sortent de l'école et vous présentent leurs *books* vous font comprendre qu'elles pourraient vous gâter si vous les choisissiez comme stagiaires.

Quand vous êtes dans la lumière, il est facile de culbuter une standardiste fiancée lors d'une soirée agence.

Vous avez soudain plein d'amis formidables. Des gens qui vous trouvent beau, intelligent, brillant, drôle.

Vous êtes la proie rêvée des chasseurs de tête. Vous découvrez le raffinement d'un petit déjeuner à l'hôtel Raphaël. D'un apéritif tamisé au bar du Lutetia (la grande salle avec le piano). Les patrons des autres agences de publicité ont soudain besoin de vous, comme d'un fils. Ils vous offrent de conduire leur département créatif jusqu'au firmament de la gloire. Vous vous retrouvez au Carré des Feuillants où l'on vous propose un salaire d'un million de francs entre le dessert et le café. Et une Mercedes pendant le café.

J'ai tout accepté.

La gâterie de la stagiaire. La standardiste troussée. Les amis formidables. Le million. La Mercedes 420. Et le cigare après le café.

À vingt-neuf ans, je vivais de ma plume. Mais je m'étais trompé d'encrier.

J'écrivais mais je ne guérissais pas.

J'avais désormais les rimes faciles, les slogans imbéciles (*faciles-imbéciles*). J'avais oublié les utopies de Bobi. Les leçons de mon père. Les encouragements de ma mère.

À vingt-neuf ans, j'étais *directeur de la création*. Drôle de titre, non ? N'y en a-t-il pas qu'un, de directeur de la création ?

Monique exulta, à cause du million. On va pouvoir quitter ce minuscule petit appartement ; les filles faites vos valises !

Dès le lendemain elle s'empressa de nous chercher une vraie maison ; elle rêvait Monique, l'argent allait couler à flots, elle allait pouvoir dévaliser les boutiques Laura Ashley, faire dessiner des canapés sur mesure, commander une cuisine chez Boffi, traîner chez Hermès, craquer pour un Kelly et peut-être aussi un Birkin ; elle passa des heures au téléphone avec sa mère, rit, gloussa ; elle arracha des pages dans les magazines ; sa mère vint quinze jours à Paris, elles partirent dans la Mercedes flambant neuve visiter des maisons, elles roulèrent jusqu'à Versailles, Saint-Germain-en-Laye, Fontainebleau ; elles poussèrent un jour jusqu'à Joigny, déjeunèrent au restaurant des chefs étoilés Michel et Jean-Michel Lorain, je vis la note astronomique du repas gastronomique, côte de veau de lait, topinambours truffés, crème de petits pois au lard, jus de veau à l'arabica et je fus en colère.

Elle engagea Marilda Cortés, originaire de Loulé, au sud du Portugal, une dame sans âge impressionnante avec sa moustache sombre, inquiétante avec son fort strabisme et formidablement douce avec nos filles.

Monique se révéla être une sorte de Lily Bart, l'héroïne du roman cruel d'Edith Wharton, *Chez les heureux du monde* ; elle aspirait au luxe, « le seul climat où elle pût respirer » ; je découvris en quelques semaines à quel point l'argent devint son sang, son énergie. Elle organisa une fête avec ses amis du cours Florent, envoya au sprinter un billet d'avion pour la Barbade où ils s'étaient promis d'aller il y avait douze ans et elle s'offrit les livres *Dreams of a young girl, Collection privée* et *Bilitis, photographies de la perfection féminine* de son cher David Hamilton. Je tentai de la raisonner. Lui expliquai que je n'avais ni la fortune d'un Percy Gryce ni l'entregent et le charme d'un Lawrence Selden, mais elle n'avait pas lu le livre de l'Américaine.

— Tu es parfois si mesquin, répliqua-t-elle.

Son choix se porta sur une très grande maison dans un village du Vexin français, à l'ombre d'une petite église romane du XIe siècle, à moins de cinquante kilomètres de Paris, tu ne mettras pas longtemps avec ta voiture le matin. On y sera si heureux Édouard, les filles l'adorent, elles ont déjà choisi leurs chambres, on fera un potager et puis la maison du gardien fera

une très jolie maison d'amis, et Marilda est d'accord
pour venir vivre avec nous, oh, dis oui, dis oui, s'il te
plaît.

Je dis oui pour laver mes fautes. Oui pour me faire
pardonner Annie Vachon. Pour racheter mon manque
d'amour.

À cinquante-trois ans, ma mère était une jeune maman.

Du matin au soir, elle s'occupait d'Alexandre, le fils enfin de Claire, et rien n'eût pu la distraire. Par contre, pendant les longues heures de sieste de *l'enfant sans père*, elle se plongeait dans la série complète des *Angélique marquise des Anges*. Elle avait les cheveux blancs et l'âme légère d'une midinette. Elle vieillissait dehors. Rajeunissait dedans. Elle fumait à la fenêtre pour ne pas empuantir la pièce en dévorant les livres.

Elle pleura lorsqu'on brûla Joffrey en Place de Grève. Elle rit lorsque Angélique fit fortune avec le chocolat et prit peur lorsqu'elle fut vendue comme esclave. Elle faillit tomber de surprise par la fenêtre (elle aussi !!) lorsqu'elle découvrit dans *Angélique et son amour* que le Rescator n'était autre que Joffrey.

À cinquante-trois ans, ma mère faisait à sa manière le deuil d'un fils ; elle emplissait de vent, de bateaux, de pirates, de félonies et d'amour le vide de ses journées. Elle survivait, comme elle l'avait toujours fait ; elle forçait *la malheureuse* à sortir, tu dois rencontrer des gens disait-elle, tu ne peux pas rester seule, surtout avec le petit. Tant qu'il est petit ça va, c'est mignon, mais après, l'enfant d'un autre, ça fait peur aux hommes. Les hommes, ils veulent toujours être les premiers, les premiers à faire pleurer, à faire saigner. T'es jolie Claire, profites-en. Oublie Alexandre quand tu sors, sois égoïste, sauve-toi.

Elle était une vraie mère, elle s'inquiétait. Elle aurait gardé l'enfant, elle en aurait fait le sien, celui de son propre ventre si cela eût permis à sa fille d'être ravie, emportée jusque dans le cœur d'un homme.

Parfois, le dimanche matin, tandis que Monique et les filles dormaient encore dans les chambres qu'elles avaient choisies dans cette grande maison à l'ombre d'une église romane du XIᵉ siècle, je glissais dans la Mercedes. La Mercedes filait sur l'A1. Je rejoignais l'appartement de Croix, apportais les croissants, les pains au lait et pour une heure, pour deux heures, nous essayions notre mère, ma sœur et moi de retrouver les heures d'avant, dans la cuisine jaune pâle ; ce temps où chacun de nous allait avoir une jolie vie.

Notre mère serait heureuse pour le restant de ses jours. Je serais écrivain. Notre frère serait un ange. Claire une princesse. Et Dumbo parmi nous.

Très vite la maison fut un gouffre financier.

Chaudière, toiture, décoration, électroménager, piano Grotrian-Steinweg pour Mathilde – Mozart a commencé le clavecin à cinq ans me rappela Monique. Sans oublier ses appareils de gymnastique puisqu'elle voulait perdre les quinze kilos qu'elle avait gardés depuis la naissance de Jeanne avant de tenter un *come back* au théâtre. Ses efforts furent payants. Elle perdit une livre et fit alors faire des photographies d'elle en Cléonice (*Les Amants magnifiques*), Olivia (*La Nuit des rois*), Antigone (*Antigone*), Estelle (*Huis clos*) et les adressa à tous les directeurs de casting qu'elle pût trouver.

Elle avait engagé une étudiante du village pour apprendre le français à Marilda Cortés en échange de cours de portugais mais à la première leçon, la gamine fut impressionnée par la moustache de l'Ibère et tenta alors de la convertir aux vertus de l'eau oxygénée. Marilda Cortés fut impériale. Sa main fendit l'air comme une lame et de sa bouche jaillit le feu : *Frida Kahlo estava tao bonito !* L'étudiante effrayée s'enfuit. Marilda Cortés continua à parler son français bara-

gouiné qui enchantait les filles et leur mère renonça à
l'idée de lui inculquer un français parfait.

Jeanne fit ses premiers pas dans cette maison et
Mathilde y écrivit ses premières rimes :

> *Papa c'est ta fête*
> *C'est super chouette*
> *Tu es le plus beau*
> *Et quand tu souris je fais oh*

Je vous jure que je mis tout mon cœur à ne point
m'émerveiller devant les consonances péteuses.
Je retins tout battement de cil, tout mouvement de
lèvres ; restai parfaitement immobile ; il s'agissait de
sauver ma fille des Enfers.

— Tu n'aimes pas ma poésie papa ?

— Mignon. Tu reprends du lait, ma chérie ?

— Maman elle dit que t'es malheureux parce que
tu n'aimes pas ce que tu écris.

Ouf. Les langues de putes ne font pas de grands
poètes.

De mon côté, je ne supportais plus les cent kilomètres de route quotidiens, même confortablement
installé dans la voiture allemande. Aussi dormais-je
souvent à l'hôtel à Paris ; parfois dans les bras d'une
standardiste ou la bouche d'une stagiaire. Je travaillais beaucoup parce qu'un salaire d'un million
demande beaucoup de travail. Nous remportâmes le
très convoité budget publicitaire du Crédit Agricole –
agréable revanche, puisque c'était une agence de cette
banque qui s'était installée à la place du magasin *De
Père en Fils depuis 1830.*

À deux cents kilomètres de notre merveilleuse maison, Claire rencontra un veuf lors d'une soirée organisée par l'Amitié Catholique. C'est un roc, dit-elle, il ira parfaitement avec mon cœur de pierre. À deux, on fera des étincelles.

Sa peine la rendait drôle et cruelle malgré elle. Je lui envoyais souvent des colis avec les produits dont nous avions à faire la réclame : lait Gloria en poudre et concentré, boîtes de Mousline, couches Tendresse, dentifrice Ultra Brite, paquets de Gama ; arrête disait-elle, je ne veux pas de ta pitié. Ce n'est pas de la pitié, juste de la lessive. Ben ça ne lavera pas ma peine, petit père Noël.

Et à cinq minutes de chez elle, Dumbo eut un problème d'urine.

À cause du changement d'heure, le matin arriva une heure plus tard.

Dumbo se leva donc une heure plus tôt, pris d'une forte envie d'uriner. Il se rendit alors aux toilettes, se cogna au passage à la petite table de l'entrée, il y eut un bruit de verre qui se brise, puis il sortit des toilettes le pantalon de pyjama trempé. Ce fut, sans jeu de mots, la goutte d'eau qui fit déborder le vase d'Anne Hannah. Elle avait accepté puis supporté et maintenant c'en était trop.

Il y eut les trous de mémoire, les difficultés de concentration, les mots qui n'avaient rien à faire dans une phrase, la montre en or qu'on ne retrouva jamais, la difficulté à faire ses lacets, trouver le trou de la manche d'une chemise ; il y eut la colère et l'anxiété, pour un rien, pour un bibelot qui avait bougé, un couvert qui n'était pas à sa place, un verre dans lequel le niveau de l'eau fut différent ; il y eut le gaz qui resta ouvert, le robinet d'eau chaude ; il y eut la violence de la dépression, la tristesse de l'hébétude ; il y eut les gestes répétitifs, obsessionnels, se gratter le plat de la main gauche avec la droite jusqu'au sang, se balancer sur la chaise jusqu'au déséquilibre ou tirer sur le lobe de l'oreille jusqu'à le déchirer; il y eut des mots, des locutions, des pans entiers de grammaire qui disparurent; il y eut la prostration, les silences; il y eut les noms qu'on ne parvint plus à mettre sur un visage, les photos qui ne déclenchèrent plus rien; il y eut la nourriture recrachée comme le font parfois les enfants gavés, la soupe qui coule de la bouche et se déroule comme un ruban jusqu'au sol; il y eut la disharmonie des mouvements, la cacophonie du corps; il y eut cette seconde où Anne Hannah ne fut pas reconnue, pas nommée; et il y eut le pantalon de pyjama trempé de pisse.

Il y eut l'atrophie corticale, la plainte mnésique, le processus neurodégénératif, la perte neuronale du système cholinergique, les allèles de l'apolipoprotéine E mais surtout la douleur, la peur et l'effroi.

Je n'en peux plus, me dit Anne Hannah, c'est trop lourd. Je ne peux pas avoir passé plus de quinze ans de ma vie et finir avec quelqu'un qui ne connaît plus mon nom, qui ne me reconnaît pas et ne sait même plus qu'il est ton papa. C'est épouvantable. Il ne fait plus de différence entre moi et une crotte. Il regarde sa purée comme une poule regarderait un ouvre-boîtes. Je suis désolée, je n'aime pas parler de ton papa comme ça, ça te fait de la peine, je le vois bien. Moi aussi j'ai de la peine. J'ai l'impression d'être effacée, de ne jamais avoir existé. On n'a plus de souvenirs tu te rends compte, plus rien, plus d'intimité, plus de chair, plus d'odeur, plus de peau; je ne devrais pas te le dire mais l'autre jour, alors que je lui donnais son bain, j'ai pris son sexe dans ma main et je l'ai branlé comme il aimait que je le fasse, pour que ça revienne, pour qu'il se souvienne mais il s'est mis à crier, il a essayé de me griffer et je ne pouvais même pas m'enfuir parce que je craignais qu'il se noie si je le laissais seul. Il ne sait plus qu'il doit rester assis dans une baignoire. Il ne sait même plus comment on respire sous l'eau. Il ne sait plus rien. Alors que je sois là ou pas, qu'est-ce que ça change ?

Anne Hannah abandonna notre père cet hiver-là.

Elle nous demanda de venir le chercher, comme on demande au service des encombrants de venir chercher une machine à laver dont on souhaite se débarrasser.

Ce fut notre premier Noël dans cette grande maison.

Monique avait acheté un sapin et sa décoration chez Habitat. Elle avait passé deux jours à cuisiner avec les filles. Elle rêvait d'un premier Noël inoubliable; d'une dernière chance.

Un directeur de casting l'avait appelée suite à l'envoi de ses photos mais c'était pour une figuration dans un épisode de *Maigret*, minable petit rôle muet qu'elle s'empressa de refuser alléguant son expérience, j'ai travaillé avec Francis Huster, j'ai joué pour lui deux scènes des *Caprices de Marianne*, « Une femme, c'est une partie de plaisir! Ne pourrait-on pas dire, quand on en rencontre une : voilà une belle nuit qui passe? », alors non, non, faire une imbécile qui passe au loin dans le dos de Bruno Cremer, c'est non!

Il fit froid cet hiver-là.

Et ce fut notre dernier Noël dans cette grande maison.

Monique offrit à nos filles les cadeaux sans surprises. Barbie vétérinaire, Barbie modiste, Barbie infirmière et Barbie princesse. À cause de son âge, Mathilde eut droit en plus à un Ken hawaïen. Monique m'offrit

un Montblanc Meisterstück 149 dont j'avais vu passer la facture sur mon relevé bancaire, comme toutes
les choses de cette maison ; cette ogresse qui m'avalait
tout cru, m'engloutissait plus sûrement que le sexe
magnifique de Rosa Éléonore Gurfinkel, la créature
de Maurice Pons.

Nous offrîmes à Marilda Cortés un petit poste de
télévision Sony pour mettre dans sa chambre ainsi
qu'un flacon de Chanel nº 5. Elle poussa des cris de
petite fille qui enchantèrent les nôtres ; toutes trois se
mirent à faire une ronde, à taper des pieds et leur joie
nous arracha, à Monique comme à moi, un sourire
triste.

La danse terminée, les visages se tournèrent vers
moi. C'était à mon tour d'offrir mes cadeaux. Les
chambres de mes filles étaient remplies de jouets
inutiles, de poupées désarticulées, d'animaux de
ferme démantibulés, de caprices cassés. Je leur offris
donc un livre. Un livre que j'avais écrit pour elles.

Le Loup qui pue.

C'est l'histoire d'un loup abandonné le jour de sa naissance près de l'étal d'un poissonnier. Du coup, il pue le poisson et tous les chats de la ville lui courent après. Le petit loup parvient à se cacher dans l'ombre d'une ruelle où un vieux chat sage lui conseille de retourner dans sa forêt. Mais dans la forêt il y a les chasseurs ! s'affole le petit loup qui pue. Mais les chasseurs ne chassent pas le poisson, rassure le chat sage. Ce sont les pêcheurs.

De retour dans la forêt, le loup fait bamboche de lapins, mulots et autres oiseaux qui ne le sentent pas venir puisqu'on ne se méfie pas d'un poisson.

Mais les animaux finissent par comprendre, se passent le mot : quand tu sens un poisson, méfie-toi, c'est le loup.

Et le voilà à nouveau détesté. Il retourne en ville, rencontre un parfumeur qui lui conseille une odeur que tout le monde aime. Une odeur qui fera pleuvoir les amis. L'odeur du chocolat.

Mais vous imaginez l'horreur pour un loup ? Être poursuivi par des centaines d'enfants ? Alors le loup exige cette fois un parfum de terreur. Un parfum de loup. Mais un loup qui sent le loup fait fuir la bousti-faille et rameute le chasseur.

Il retourne une dernière fois en ville, achète un savon, se lave et frotte, frotte jusqu'à sentir de nouveau le poisson.

Et alors, qu'arrive-t-il ?

— Il est temps d'aller au lit, les filles, dit Monique. Marilda va vous coucher. Et on n'oublie pas le pipi, les mains et les dents.

— Il est beau ton cadeau, dit Mathilde en m'embrassant.

— Il meurt le loup ? demanda Jeanne d'une petite voix inquiète.

— *Pai dira la chuite amanha*, dit Marilda Cortés en emportant nos filles.

Nous nous retrouvâmes alors seuls. J'allumai une cigarette. Monique se versa un verre de vin.

Nous savions, tous les deux. Le rideau. La fin.

C'est toi, le loup qui pue, dit-elle. Non pas parce que tes doigts puent depuis cette femme à Bruxelles mais parce que comme ton loup à la con, tu ne t'aimes pas comme tu es. Et quand on ne s'aime pas on ne peut pas aimer les autres. Elle but une gorgée de vin. Quand Mathilde est née, j'ai voulu mourir parce que tu ne m'aimais pas. Mais tu es resté. On a quitté Bruxelles, on s'est installés à Paris. Tu t'es occupé de notre fille, tu t'es remis à écrire, je t'ai suivi mais tu ne m'as pas emmenée. C'était ta période odeur de chocolat, comme ton putain de loup. Elle vida son verre. Si je suis revenue plus tard, c'est parce que Mathilde voulait marcher jusqu'à toi. Tu te rends compte, une gamine d'un an qui découvre qu'elle marche et à qui on demande où elle veut aller et qui répond jusqu'à papa. Putain ! Putain de putain de merde !

Elle remplit à nouveau son verre. Il déborda.

Dans la grande maison, on entendit un bruit de chasse d'eau au premier, puis ce fut le silence.

Je vais te dire ce qui arrive à la fin de ton histoire de loup qui pue.

Nous étions une étrange génération ; fils et filles de Dumbo, de l'amante et de tant d'autres du même âge qui avaient usé les heures de leur enfance sous la terre, dans les abris, alors que dehors pleuvait la ferraille. Notre mère vit deux parachutistes anglais qui flottaient gracieusement dans l'air du Jardin de la Rhônelle à Valenciennes se faire mitrailler par un jeune Allemand qui riait. Elle avait quatre ans. Dumbo faillit être enseveli par l'effondrement des murs de la mairie touchée par un obus. Il en avait huit. Quand il revint le lendemain, il vit que seule la façade était restée debout, comme un doigt d'honneur fait aux Messerschmitts qui déchiraient le ciel. Des amis de leur âge furent emmenés ; ils ne les revirent jamais. On entendit des choses terribles, la viande se fit rare, le scorbut dessina de vilains sourires, il n'y eut plus de musique et mon grand-père fut déporté à Mauthausen.

Mais la plupart des enfants survécurent et connurent la malédiction des survivants : ils avaient survécu. Plus tard, à l'aube de l'âge adulte, ils connurent la détresse algérienne et lui survécurent aussi. Certains, comme Dumbo, en revinrent meurtriers et survécurent même au dégoût d'eux-mêmes. Ils eurent alors en grandissant envie de goûter à tout. Et ils goûtèrent à tout, euphoriques. L'infidélité, l'insolence, la dépression, la psychanalyse, les drogues douces, le rock'n'roll, la réussite, l'échec, le divorce ; ils n'eurent plus peur de la mort, ils comprirent que l'amour n'était pas une nécessité mais un mot parmi d'autres. On pouvait vivre sans aimer.

Ce n'était pas l'amour qui les avait sauvés, c'était la lâcheté.

Alors ils s'accouplèrent joyeusement et peu importe qu'ils s'aimassent ou non, ils firent plus tard quelques enfants et leur confièrent le soin de les guérir. De remettre le monde en ordre. Et nous arrivâmes, investis de leurs rêves d'enfants abandonnés là-bas, sous les gravats des abris, la ferraille de la honte, le sable de la Sebkha de Chott Ech Chergui.

Ils ne nous apprirent pas ce qu'était l'amour. Nous devions le découvrir.

Quatre rimes piteuses et ça y était ; tu seras l'écrivain, tu écriras notre histoire, tu nous sauveras. Deux ailes et toi notre frère tu seras notre ange, la conscience morte de tout ce que nous avons raté. Et toi petite princesse rose, l'amour te frôlera toujours sans jamais te prendre, tu seras le confortable miroir de nos médiocrités. Tu les rendras acceptables.

Il n'y eut pas de suite au *Loup qui pue*. Le lendemain de Noël, j'avais disparu.

Je fus le premier janvier à Croix, chez ma mère, pour le traditionnel déjeuner du Nouvel An. Elle s'étonna à peine que Monique et nos filles ne m'accompagnassent pas. Je lâchai mon mensonge, Jeanne a trente-neuf cinq ; ma mère sourit, haussa les épaules, mon petit Pinocchio, dit-elle, tu crois que je suis aveugle ?

Claire était déjà là, dans le salon ; sa tête reposait contre l'épaule du roc, le veuf qui avait fait se fendiller son cœur pétrifié. Yves, la quarantaine ronde, dégarnie, l'air bienfaisant. Sa fille jouait avec Alexandre ; Jeanine, treize ans, de l'acné sur le front, un appareil orthodontique, un regard triste. Ainsi tout rentrait dans l'ordre ; *le cœur de pierre* avait déniché le roc. Claire offrait un vrai papa à son fils, devenait elle-même une nouvelle maman pour Jeanine. Les douleurs disparaissaient dans l'apparence du bonheur nouveau. Le teint de Claire avait gardé le gris des galets des rivières, les baisers gourmands d'Yves ne réchauffaient pas encore ses joues. Ça viendra, dira-t-elle plus tard ; il faut bien survivre.

Notre mère servit le champagne, excusa l'absence de Monique pour cause de fièvre de Jeanne, oh quel dommage dit Yves, j'aurais tant aimé faire leur connaissance.

Nous passâmes assez vite à table. Foie gras, rôti de bœuf et pommes noisettes comme chaque année. Yves était représentant multimarques en assurances, ça marche bien, dit-il, même si les marges se réduisent, mais bon, il y a des compensations, on vient de me donner la nouvelle Clio, c'est cool. Sa femme était morte six ans plus tôt, étouffée par une arête de poisson alors qu'elle déjeunait seule chez elle. Elle eut le temps de décrocher le téléphone, de composer le 18 mais lorsqu'elle essaya de parler, les pompiers crurent à une blague. Yves tenta de porter plainte pour non-assistance à personne en danger mais celle-ci n'aboutit pas. Je n'ai plus jamais acheté leurs calendriers depuis ce jour-là et Jeanine n'épousera jamais un garçon qui veut être pompier, n'est-ce pas ma chérie ? Le repas fut rapide. Je débarrassai, emportai la vaisselle à la cuisine, Claire fut sur mes talons, comment tu le trouves ? Gentil. Ce n'est pas Joe Dassin, dit-elle, parfois je le trouve vilain mais quand il sourit je le trouve beau… Ses sanglots l'étouffèrent soudain, comme une arête de poisson. Je la pris dans mes bras, elle avait froid, elle tremblait. Je n'ai jamais demandé grand-chose dans ma vie, souffla-t-elle, je voulais juste rencontrer quelqu'un, avoir une jolie histoire d'amour, juste ça, une jolie histoire d'amour ; même ça je ne l'aurai pas eu.

J'embrassai ses cheveux et me souvins alors d'elle treize ans plus tôt, en 1978, un soir dans sa chambre rose. Je venais d'avoir le bac de justesse. Elle avait quatorze ans, elle écoutait Sheila chanter *Hôtel de la plage* avec les B. Devotion, allongée sur son lit, en lisant dans *Marie Claire* le témoignage d'une femme trahie. Il y avait des posters de Richard Gere et de Thierry Lhermitte sur les murs. Elle croyait au prince charmant. Elle avait peur de coucher avec un garçon, à moins qu'il ne fût le prince. Elle m'avait demandé si ça avait été bien ma première fois et j'avais répondu, d'une voix douce, oui, oui, je crois que c'était bien, et elle avait eu envie qu'on dise ça d'elle un jour, juste ça, *oui, oui, c'était bien*.

Et puis notre frère était entré dans la chambre, il nous avait couverts de ses ailes et nos enfances avaient disparu.

Je pris une chambre au Mercure de Courbevoie.

J'avais quitté la très grande maison à l'ombre d'une petite église romane du XIe siècle pendant la nuit de Noël. Mathilde et Jeanne dormaient, les Barbie contre leur cœur ; Marilda Cortés regardait les émissions joyeuses sur sa première télévision et Monique avait les yeux brillants à cause du vin bu ; elle n'avait pas bougé du canapé sur mesure dans lequel elle était assise tandis que je faisais le tour de la maison pour voir ce que j'emportais et ne trouvais rien. J'arrivai donc les mains vides au Mercure. La jeune femme de l'accueil avait un bonnet rouge sur la tête. Il y avait une coupe de champagne tiède à côté d'elle, quelques confettis sur le clavier de son ordinateur et sa poitrine ; elle était seule à la réception, elle avait l'air las, c'est pour une nuit ? demanda-t-elle, c'est pour une vie, répondis-je. Alors elle leva doucement la tête et me considéra. Vous avez l'air triste. Je souris. Sourire triste, forcément. Vous aussi, murmurai-je et elle sourit. Sourire triste, forcément. Elle tendit la main, attrapa la coupe en plastique, but le liquide tiédasse et poussa un soupir fatigué. Je peux dormir avec vous ? Je fis oui de la tête. Elle me tendit alors une carte magnétique. La 310. Je finis dans vingt minutes.

Nous ne fîmes pas l'amour. Elle entra avec son passe, se déshabilla et lorsqu'elle fut entièrement nue se glissa sous les draps à côté de moi. Elle chuchota merci, joyeux Noël et s'endormit aussitôt. Ce n'est que quelques heures plus tard vers midi, lorsque nous nous éveillâmes, vîmes nos deux visages tristes que nous nous étreignîmes et que nos bouches s'embrassèrent ; un baiser d'adieu, puissant, érotique et désespéré qui ne dura pas et lorsqu'elle se rhabilla ce fut moi qui lui dis merci. Joyeux Noël.

Je passai alors la courte semaine entre Noël et le Jour de l'An au téléphone. Je cherchai des maisons, des cliniques, des établissements, des hospices, n'importe quoi bordel qui eût pu accueillir Dumbo mais personne ne décrochait. Je tombai sur des répondeurs, des tonalités « occupé », des voix sèches qui demandaient de rappeler après les fêtes, mais les fêtes, hurlai-je, ça n'a pas de sens pour lui, c'est maintenant qu'il a besoin de vous ! et dans les meilleurs des cas on me passait un chef qui, la voix mielleuse, suggérait, n'est-il pas possible qu'il passe ce dernier Noël en famille avant d'y voir plus clair avec la nouvelle année ? Mais il n'y a plus de famille, connard, il n'y a plus rien.

Le 30 décembre, vers onze heures, un miracle eut lieu. Bien sûr, entendis-je. Avec plaisir. Nous sommes là pour ça. Redites-moi son nom. Quand vous voulez. Cet après-midi ? C'est parfait. N'oubliez pas les papiers et ses médicaments. Bien. Vers quinze heures alors. Bonne route.

Sur l'autoroute, je fis la course avec un TGV qui surgit soudain sur ma gauche. La voiture bondit et lorsqu'elle atteignit les deux cent cinquante kilomètres heure j'entendis le petit *clac* du bridage du moteur de la Mercedes. Le train disparut, j'avais perdu, mais quel pied. Quel pied, putain, quel pied de merde d'aller plus vite que votre père n'a jamais été mais à qui vous ne pourrez jamais le dire parce que deux cent cinquante kilomètres heure, il ne sait pas ce que c'est. Parce que bander en coursant un train, il ne sait pas ce que c'est. Parce que dormir avec une fille sans la baiser, il ne sait pas ce que c'est.

Parce que moi, il ne sait plus ce que c'est.

Au dernier jour de cette année 1991, Dumbo découvrit sa chambre à la résidence Jeanne de Valois, à Maing, près de Valenciennes. Il n'eut aucune réaction. Ma main serrait la sienne et la sienne était froide. Je l'assis dans le petit fauteuil, près de la porte. L'infirmière m'aida à faire le lit avec les draps que m'avait donnés Anne Hannah. Je pleurai. Je me souvins du lit qu'il m'aida à faire lorsqu'il me conduisit en pension où nous arrivâmes en retard à cause d'une Pelforth brune, du livre de Giono et de nos promesses il y avait plus de vingt ans maintenant. Il va être bien ici, dit l'infirmière. Dumbo ne réagit pas au son de la voix. Il porte un audiophone, dis-je, mais il l'oublie souvent ou alors il ne l'allume pas. On fera attention, dit-elle. Il ne faut pas qu'il reste dans le silence, insistai-je, notre frère… On fera attention vous dis-je, coupa l'infirmière, nous sommes là pour ça. Il m'a dit un jour que le silence c'est la fin, chuchotai-je ; c'est la fin, vous comprenez ?

L'infirmière frappa alors l'oreiller comme s'il se fut agi de ma gueule puis l'abandonna sur le lit, fit les trois pas qui la séparaient de Dumbo, lui prit le bras. On va être bien ici, on a un bon lit, regardez, c'est votre fils qui l'a fait, *votre fils*.

Je fumai dix cigarettes sur le parking de la résidence. Je ne voulus pas partir. Je pensai à lui. À sa main noueuse dans la mienne, sa main si froide déjà. Elle avait dit *votre fils* et il n'avait pas réagi. Je lui avais dit *je t'aime papa* en partant et il n'avait pas réagi. Je lui avais dit *je reviens bientôt*, je lui avais dit *bonne année*, l'infirmière avait ajouté *ce soir, pour le réveillon on a de la bûche* et il n'avait pas réagi. J'écrasai alors ma cigarette rageusement. Elle fut comme le cœur d'un oiseau sous ma chaussure ; je l'écrasai avec force, je voulus qu'il cessât de battre, qu'il se tût et je compris au cri qu'il poussa que ce cœur était le mien.

La directrice de la résidence me rejoignit sur le parking. Elle se planta devant moi. Mon bureau est juste là, dit-elle, au premier. Vue sur le parking ajouta-t-elle en souriant, pour une directrice, c'est vous dire. *Un silence.* C'est vous dire une chose. Ce qui m'importe c'est que votre papa et vous soyez bien. Je vous jure que lorsque vous reviendrez vous ne fumerez plus dix ou vingt cigarettes sur ce parking en écrasant les mégots avec des envies de meurtre. Je vous jure que je ferai tout pour que vous remontiez dans cette voiture heureux, en pensant que votre papa est bien ici, que vous avez bien fait de me le confier. Et je vous promets qu'il sera bien. Je pleurai. Je la pris dans mes bras. J'eus à nouveau cinq, sept, huit ans, elle fut pour un

instant les bras qui sauvent, qui empêchent la noyade ;
les bras d'une maman.

Je repris la route, ne fis plus la course avec les TGV,
arrivai au Mercure en début de soirée, demandai à
parler à la réceptionniste qui était là la nuit de Noël,
le sous-directeur vint me voir, elle ne travaille plus ici,
dit-il, c'était une intérimaire, vous comprenez, le soir
de Noël, on aime que nos employés passent la soirée
en famille. Vous avez ses coordonnées ? demandai-je,
je suis directeur de création d'une agence de pub, je
cherche quelqu'un comme elle. Je suis désolé, monsieur.

Dix heures plus tard, j'étais à Croix, chez ma mère,
pour le traditionnel déjeuner du Nouvel An.

— Un camembert ne peut pas porter un nom de fille.

Sylvia Sinibaldi sourit, reposa délicatement sa tasse de café.

— Je me souviens, poursuivit-elle, que dans ses *Mythologies* Barthes consacre un chapitre au lait et au vin. Pour lui le lait a une nature crémeuse, sopitive, tandis que le vin est mutilant, chirurgical puisqu'il transmute et accouche. Il est puissant, violent, il est une substance de conversion alors que le lait est cosmétique et exotique.

Elle ne m'avait pas suivi dans ma nouvelle agence. Elle avait préféré le calme de l'ombre au tumulte de la lumière. Nous nous étions séparés doucement, comme de l'eau. Et elle était devenue mon amie.

— Alors si j'étais toi, ajouta-t-elle, je leur proposerais de changer le nom de leur camembert, d'en trouver un qui évoque la puissance du vin, la force du sang, je ferais un packaging avec beaucoup de rouge et une campagne de pub avec des mecs, des vrais, tout ce que je déteste, dit-elle dans un sourire, mais bon.

Trois semaines plus tard, nous proposâmes à Elle & Vire de débaptiser leur camembert éponyme au profit de *Cœur de Lion*. Nous leur suggérâmes une étiquette avec beaucoup de rouge. Et je leur racontai des scripts qui mettaient en scène des mecs, des vrais, avec des dialogues nourris d'Audiard. Nous gagnâmes le budget et le lancement de *Cœur de Lion* fut un véritable succès.

Je fis porter à Sylvia Sinibaldi une caisse de six bouteilles de château-margaux 1961. Et un camembert.

J'avais fini par quitter le Mercure de Courbevoie pour un sombre petit deux pièces rue du Docteur-Heulin, à quelques centaines de mètres de la rue Pouchet où nous avions vécu à notre retour de Bruxelles, Monique, Mathilde et moi. J'y retrouvai le caviste et sa sœur, madame Josée. Il pleura et but surtout mon infortune ; si c'est pas malheureux, un joli petit couple comme vous, si beau, faut dire que vous en avez eu des malheurs, avec votre frère qu'est tombé et votre sœur qu'a eu le gamin sans le papa, tenez, j'ai un petit lirac, un truc de derrière les fagots, puissant et féminin à la fois, c'est le baiser de quelqu'un qu'on a perdu ça, dit-il en débouchant le petit lirac en question dont il porta le goulot à son nez, un baiser, chuchota-t-il alors comme pour lui-même, ça oui, un sacré baiser. Madame Josée s'offrit de s'occuper de moi à nouveau. Je ne vous demanderai pas de nouvelles de Mathilde, je vous le promets, je ne vous ferai pas de peine, dit-elle, mais si vous voulez m'en donner de temps en temps, je serai bien heureuse.

À l'agence, je travaillais beaucoup. Premier arrivé, dernier parti. Je rentrais le soir, épuisé, réchauffais le plat que madame Josée m'avait préparé puis m'effondrais. Je maigris. Je vieillis. Un matin mes pattes furent blanches, je les rasai. Un autre, je reçus la lettre de l'avocat de Monique qui demandait le divorce. Et le week-end, je filais à Maing, résidence Jeanne de Valois. J'y retrouvais Dumbo, assis dans la salle commune, au milieu des autres. Les perdus. Les perclus. Les évadés d'eux-mêmes ou au contraire, les enfouis. Au-delà de celle de la Javel, je percevais les terrifiantes odeurs de l'abandon de soi-même, l'urine, les fèces, la sueur âcre. Dumbo était toujours près de la fenêtre, un peu à l'écart, assis dans un fauteuil roulant. Il semblait parfaitement indifférent à tout ce qui l'entourait, les bruits, les mouvements, le chaud, le froid. Il était immobile et si ses paupières ne battaient pas on eût pu croire qu'il était mort. Les premières semaines, je ne pus m'empêcher de pleurer en traversant la salle et restais alors d'interminables minutes debout derrière lui avant d'oser me montrer. Et lorsque enfin j'osais, lorsque enfin mes larmes s'étaient taries, je me penchais vers lui, si près que nos nez se touchaient et j'espérais à chaque fois ce miracle. Cette chose-là. Une étincelle dans les yeux. Un mouvement sur les lèvres. Un déclic. Quelque chose. Un mot, peut-être, un jour, comme dans un rêve, un nom, deux syllabes, mon nom. Mais rien ne vint jamais. Je l'emmenais alors hors de cette salle de douleur. Quand il faisait beau, nous sortions sur le parking, je l'installais au soleil frais encore du printemps et j'attendais, je m'assurais qu'il n'ait pas froid, remontais la couverture quand elle glissait et de temps en temps la directrice me saluait de sa fenêtre. Une fois, elle descendit, vous pouvez lui parler vous savez, dit-elle, il ne réagira peut-être pas à ce que vous dites mais votre voix est comme une musique et parfois, quand on entend de la musique, il y a des choses, des images qui refont surface, et puis ça vous fera du bien de lui parler, croyez-moi. Pendant de longues semaines, je ne sus pas quoi dire à mon père. Je commençai doucement. Quelques mots. Quelques phrases. Le temps qu'il fait à Paris. Les poids lourds sur l'autoroute. La sortie du film *L'Amant*, que je n'ai pas encore vu. Un nouveau camembert avec une étiquette rouge comme du sang. Mon divorce. Le roman que je te dois et que je suis en train d'écrire papa. Je cherche la fin maintenant. Je voudrais quelque chose de beau. Un miracle qu'un enfant pourrait réaliser, même si tu n'y crois pas. Une réconciliation. Mais Dumbo ne réagissait à aucune de mes notes. J'essayai de me souvenir des heures enfumées dans sa voiture supersonique ; je tentai de retrouver les mots qu'il aimait alors et découvris avec effroi que nous n'avions pratiquement pas parlé pendant ces années. Seule la fumée de ses Gitanes sortait de sa bouche et les volutes calligraphiaient la peine qu'était déjà sa vie.

Les hauts murs de la résidence masquaient vite le soleil alors je le rentrais et c'était l'heure des pilules, des piqûres, l'heure de toutes les peurs. Je l'abandonnais là, à la première infirmière croisée, m'excusais à peine, effleurais des lèvres les cheveux de mon père et m'enfuyais, le cœur battant, courais m'enfermer dans la Mercedes, sur le parking, comme un enfant dans sa chambre pour cacher la misère de son chagrin.

C'est là, sur ce parking, que m'attendra un jour *la fille assise sur la voiture.*

À la fin de l'hiver la fille au cœur de pierre s'amarra au roc ; comme une moule à un rocher. Elle partit, son fils sous un bras, une grosse valise au bout de l'autre. Elle quitta notre mère ; quitta les odeurs sucrées pour les odeurs âcres. Elle n'eut pas de peine, pas de joie non plus. Elle s'installa dans la maison où les photos de celle qu'une arête de poisson assassina se posaient partout, comme de la poussière. Elle ne fit aucune remarque, ne les rangea pas dans un carton. Elle attendait, résignée déjà ; comme le fut l'amante. Voilà, nos lâchetés héritées et une vie trop lourde pour s'en délester seul. Nous avons besoin d'ailes. Le roc sera les élytres de Claire. Celles d'Hadrien furent son salut et sa perte. Et l'unijambiste aurait dû déployer les siennes pour l'amante.

À la fin de l'hiver, notre famille fut définitivement démembrée et notre mère se retrouva seule pour la millième fois. Bien qu'elle s'en défendît, elle se mit à déprimer. Je tentai alors de retrouver l'Anglais mais selon le secrétariat de la Faculté de Théologie de Lille, il était retourné en Afrique, au Bénin cette fois, à Bohicon.

J'emmenai ma mère au Touquet pour un week-end.

Nous descendîmes au Westminster. Nous marchâmes longtemps sur le sable, dans le silence. Elle fumait beaucoup. Lorsque nous fîmes demi-tour pour rentrer alors que nous avions déjà atteint la plage de Cucq et qu'un vent fort s'était levé, elle sourit pour la première fois. Ça me rappelle une tempête terrible, ici, il y a une vingtaine d'années. Elle durait depuis des jours, mais nous sommes sortis quand même. Je vous avais tous les trois attachés avec de longues cordes, comme des laisses et nous sommes sortis sur la digue. À un moment, ton frère s'est envolé, il a basculé au-dessus du parapet, il a atterri sur le sable, le vent lui faisait faire des bonds, mais j'ai tenu, la corde a tenu et il est resté avec nous. Toi, tu avais pris ta sœur par la main, vous avez essayé de courir contre le vent, ta sœur est tombée et les rafales l'ont poussée sur quelques mètres. Vous hurliez. J'hurlai. Il n'y avait personne d'autre que nous quatre dehors, même ton père n'avait pas osé sortir ; mon foulard s'était envolé, comme un cerf-volant, et soudain nous nous sommes mis à rire, nous nous sommes tous tenus par les bras, tous les quatre et nous avons marché face au vent, nous avons fait un pas, un premier pas, puis un second et nous avons été plus forts que lui. Plus forts que le vent ! Ce que nous étions fiers ! Et puis nous sommes rentrés, le vent dans le dos cette fois et là j'ai vraiment eu peur que ta sœur s'envole pour de bon. Elle se tut, tenta d'allumer une nouvelle cigarette. Je posai mes mains sur les siennes pour empêcher le vent d'atteindre la petite flamme du briquet. Elle aspira une longue bouffée de tabac. C'était ça être votre maman, dit-elle, vous empêcher de vous envoler et vous rattraper si vous vous envoliez. C'était ça et c'était bien. Elle toussa. Je n'ai pas pu rattraper Hadrien. J'ai si honte. Je suis sa maman et je ne sais même pas s'il a été heureux, s'il savait que nous l'aimions tant. Comment dit-on à son enfant qu'on l'aime ? Je m'approchai d'elle, mis mon bras autour de son épaule. Claire va avoir une petite vie sans amour. Un brin de tabac incandescent s'envola dans ses cheveux, elle le chassa d'un geste las. Et toi Édouard, tu gâches tout ce que tu réussis. Elle renifla légèrement. Alors c'était ça être votre maman, c'était ça, laisser les cordes se briser ?

Le sable volait autour de nous, piquait les yeux, s'insinuait dans nos bouches mais ce n'est pas la raison pour laquelle elle se tut ni pour laquelle je ne parlai pas. Elle avait fait l'aveu le plus douloureux qu'il soit demandé à une mère de faire.

Je sus qu'il n'y avait désormais aucun mot possible pour lui faire retrouver l'envie de vivre. Plus aucune phrase. Plus rien. Sauf une chose.

L'amour.

Ça sera ça la fin de mon roman.

Je revis mes filles aux premiers jours du printemps.

Monique n'avait pas voulu que je les visse avant, elles sont déjà assez retournées par ton départ, n'en rajoutons pas avec des séparations douloureuses à chaque fois que vous vous verriez. Je leur avais écrit ; nous avions parlé au téléphone ; elles m'avaient envoyé les horribles portraits d'elles que les écoles font faire des enfants, ces images clinquantes où ils ont toujours l'air idiot, crispé, constipé et qu'elles vous vendent une fortune et que vous êtes obligés d'acheter sinon les adorables pensent que vous ne les trouvez pas beaux.

Monique les déposa chez Angelina, Porte Maillot ; elle me les laissait pour une heure, le temps qu'elle fît quelques courses. Elles avaient grandi. Les cheveux de Mathilde avaient foncé, ceux de Jeanne étaient restés très blonds. Elles ne se ressemblaient ni ne me ressemblaient. Elles arrivèrent en se tenant la main, toutes deux vêtues d'une robe en coton couleur tabac, ourlée de rose ; on eût dit deux petites Kennedy, deux images tout droit sorties d'un *Vogue Bambini*. Nous nous embrassâmes. Il n'y eut pas d'effusions, de câlins, aucune exubérance de retrouvailles. Ce fut poli. Une serveuse apporta les cartes. Elles comman-

dèrent chacune un Africain, c'est ce qu'on prend toujours avec maman, dit Jeanne, on *adooore*, mais pas
de gâteau parce que ça fait grossir et que maman,
elle dit que c'est *horrrrrible* d'être grosse. Je regardai
mes filles ; mes petites étrangères déjà. J'avais préparé
mille questions, je fus soudain sans voix. Voilà. Elles
adooorent l'Africain, elles trouvent *horrrrrible* d'être
gros, elles sont habillées comme dans les magazines,
elles ont cinq et deux ans, l'âge où ma mère nous atta-
chait à des cordes pour nous garder auprès d'elle et
elles sont polies. La serveuse apporta l'épais chocolat
brûlant pour elles, un petit pot de café pour moi puis
s'éloigna et il y eut un instant de silence. Quand nous
nous décidâmes à parler à nouveau, Mathilde et moi
ouvrîmes la bouche en même temps, ce qui nous fit
rire, à toi, dis-je, non, non, vas-y, parle, dit-elle, je t'en
prie Mathilde, commence.

— Est-ce que tu es notre premier papa ?

Paf. Dans les dents.

— Parce que maman elle dit que David *(le sprinter)*,
c'est notre second papa.

Nous y voilà. Le sprinter avait battu un record de
vitesse. À peine avais-je filé la nuit de Noël qu'il était
arrivé en courant. Comme avant, comme toujours.
Quand Monique s'était réfugiée chez sa mère après la
naissance de Mathilde, c'est lui qui était accouru pour
la consoler, je le sais maintenant.

Je me mis à rire. Mes filles se regardèrent, décidèrent
que j'étais fou. Je ris de moi, je ris de ma naïveté, de
la somme de mes imbécillités, mes arrogances, mes
aveuglements. Je ris de moi et ce fut un rire de soula-
gement ; tranchant comme un adieu.

— Ça va papa ? demanda Mathilde un peu inquiète.

Ça va mes chéries. Votre papa est le roi des cons. Ses péchés l'ont rendu aveugle. Retournez voir votre maman, allez faire des câlins à votre papa sprinter, demandez-lui de vous apprendre à courir vite pour fuir la merde ; soyez heureuses, moi je ne sais pas, je dois tout réapprendre, je dois m'occuper de mon papa et de ma maman désormais, ils ont besoin de moi, je dois écrire une jolie fin, je n'ai pas le temps d'être votre papa, vous me manquez et je vous aime si fort.

— Ça va papa ?

J'essuyai mes yeux dans la serviette damassée et rêche du célèbre salon de thé.

— Ça va ma chérie, je suis un peu fatigué.

— David, il a refait tout le carrelage de la salle de bains à la maison, c'est jaune, c'est très beau, dit Jeanne. Et il va peut-être faire une piscine.

— Tais-toi, lui enjoignit sa grande sœur, on n'en sait rien, maman a pas encore décidé.

Et ce fut tout.

Leur mère apparut à la porte ; à l'instant où elles la virent, mes filles sautèrent de leurs chaises, leurs serviettes tombèrent par terre, la précipitation de Jeanne fit se renverser mon café, elles lâchèrent chacune un *au revoir papa*, comme ça, dans le vide et coururent vers la terre promise.

La lettre me fut réexpédiée par Anne Hannah.

L'avocat qui représentait la famille de l'infortuné tortionnaire de lombrics sur lequel le corps de notre frère chut était ouvert à une négociation. Un procès serait long et douloureux pour la famille, le chagrin ne s'efface pas à la barre, écrivait-il, les assurances seraient prêtes à accélérer les choses si nous ne nous retournions pas contre l'établissement blanc, évitons la presse, les scandales, les incompréhensions, nos enfants ne sont pas comme les autres, nous ne savons pas pourquoi le vôtre est tombé, faisons silence, laissons le temps du deuil nous guérir, bref cent cinquante mille francs feraient l'affaire.

Le patron de l'agence accepta de me donner quinze mille francs au titre de prime pour avoir remporté le budget du camembert *Cœur de Lion*. Je quittai le deux pièces sombre de la rue du Docteur-Heulin pour une chambre minuscule rue Trouillet à Clichy. Le soir de mon départ, le caviste ouvrit le nectar des nectars, goûte-moi ça mon grand, un figeac 80, un premier grand cru, vous êtes fou, dis-je, c'est toi qui es fou protesta-t-il, fou de quitter le quartier, fou de quitter ta vie d'avant et les fous, moi, qu'est-ce que tu veux, je les aime. Madame Josée était là aussi, elle trempa ses lèvres pour goûter le nectar des nectars, elle aime pas le vin dit le caviste, c'est pour ça que je bois pour deux, pour six plutôt chuchota-t-elle et nous rîmes et trinquâmes et bûmes. Le figeac était un formidable saint-émilion, dense, ferme, corsé. Plus tard, madame Josée pleura, je sais que vous ne reviendrez plus cette fois dit-elle, il y a quelque chose de nouveau dans vos yeux, ils semblent plus clairs, comme s'il y avait une couche sur votre pupille ou je ne sais quoi qui était tombé, une sorte de mue. Mais tais-toi donc avec tes mots, râla malicieusement son frère de caviste, tu vois bien que c'est les larmes qui ont lavé ses beaux yeux à ce gars-là, maintenant il va voir les choses autrement, mais dis-moi sœurette, tu serais pas un peu zinzin de ce gaillard, des fois? Nous rîmes tous les trois, nos yeux brillèrent longtemps, nous nous embrassâmes en nous promettant des choses que nous ne tiendrions pas mais nous eûmes, pour une heure encore, une nuit, envie d'y croire. Trois bouteilles plus tard, le caviste remonta laborieusement son rideau de fer, la fraîcheur de la nuit nous surprit, bienfaisante.

Je marchai jusqu'à ma chambre. Douze mètres carrés. Un lavabo. Un WC chimique derrière un rideau. Une fenêtre sur mur. De l'humidité. Madame Josée avait tenu à faire mon ménage une dernière fois. Elle avait frotté le linoléum. Détartré le lavabo. Punaisé des rideaux à la fenêtre. Et elle avait déposé un ficus sur la table. Je m'allongeai tout habillé sur le petit lit que j'avais fait livrer la veille et, pour la première fois de ma vie, je me sentis léger. Je gagnais un million de francs par an mais la grande maison à l'ombre d'une église

romane du XIe siècle, le coût de la résidence Jeanne
de Valois, les cent cinquante mille francs du tueur de
lumbricidae (ramenés à cent douze mille après une
longue discussion sur le prix de la vie d'un enfant qui
n'aurait jamais gagné la sienne), les robes et les Africains de Mathilde et de Jeanne, la piscine du sprinter,
les canapés Laura Ashley, le salaire de Marilda Cortés
et la vengeance de Monique eurent raison de tout.

J'étais rincé.

Soudain, Dumbo sourit.

Nous étions dans sa chambre. Il était installé dans le petit fauteuil près de l'entrée, je me tenais face à lui, assis sur le lit. Avec le temps, les mots étaient revenus. Je lui avais raconté la vie, là-bas, loin, à Paris ; nos vies écartelées ; Claire et Yves qui faisaient le lent apprentissage d'une vie nouvelle, calme et sans doute heureuse, sans poisson ni pigeonneau dont les métatarses, côtes et autres petites apophyses peuvent s'avérer piégeux ; je lui avais raconté le goûter chez Angelina, mes filles, les Africains et les gâteaux *horrrrribles* qui rendent *grrrrros*, je lui avais raconté que je n'avais pas rattrapé mes filles ce jour-là, juste laissées s'enfuir, inexorablement, comme un filet d'eau dans une bonde et que je les avais perdues.

Je lui avais raconté nos vies et il n'avait pas bougé.

Cette fois, j'apportais des photographies de Mathilde et de Jeanne parmi lesquelles j'en avais glissé une de ma mère. C'était une image qui datait des années des vacances en Bretagne, les années des cousins puceaux où nos mères buvaient des Campari aux heures de l'apéritif ; les grandes années de l'amante, celles où elle rentrait à l'aube en riant, la peau luisante, couverte des odeurs du sel, du tabac et du sexe, tandis que j'essayais d'écrire, de l'émerveiller, de les émerveiller tous. Sur cette image prise en intérieur, elle porte des lunettes noires, elle tient une cigarette dans sa main gauche, ses cheveux sont tirés en arrière ; sa bouche est pulpeuse, on dirait un fruit.

Soudain, Dumbo sourit.

Lorsque je fus dehors à fumer sur le parking, je me sentis profondément heureux. Je me sentis soudain très calme, une image de lac me vint à l'esprit ; je me sentis flotter. Je pensai à la nuit d'orage qui planta un arbre d'or dans les épaules de Bobi ; cette seconde où l'on sait qu'une douleur s'éloigne.

Plus tard, au moment où je m'installai à bord de la Mercedes, une auto s'avança sur le parking, alla se garer de l'autre côté. Deux femmes en descendirent, vite rejointes par la directrice. Elles parlementèrent toutes trois un instant puis se séparèrent ; deux rentrèrent dans les odeurs de l'oubli, la plus jeune allant s'asseoir sur le capot de sa voiture.

Il fit beau ce jour-là. L'autoroute était dégagée. Peu de poids lourds.

De l'autoradio résonnaient les derniers tubes, *Remember The Time* de Michael Jackson, *Don't Let The Sun Go Down On Me* d'Elton John et George Michael ou *Petite Marie* de Francis Cabrel et puis un flash spécial. Jean Poiret était mort. Le Renato Baldi de *La Cage aux folles* ne babillerait plus. L'inspecteur Lavardin venait de succomber à une crise cardiaque. J'éteignis la radio. Je ne voulais pas de mort à mes côtés.

J'avais repeint en blanc les murs de la minuscule chambre de la rue Trouillet. J'étais retourné chez Ikea acheter une bibliothèque Billy, une petite table et une chaise. J'eus l'impression de me retrouver au temps des heures fiévreuses, rue de Wazemmes, lorsque je dévorais les livres de Gomez-Arcos, Beckett, Dalens et autres et m'épuisais à écrire le mien, en vain, assis par terre ; avant que Monique ne débarque et ne modifie le cours de ma vie.

Outre la grande maison dans ce village du Vexin français, à l'ombre d'une petite église romane du XIᵉ siècle, son avocat demanda une indemnité compensatoire de deux millions de francs soit seize mille six cents francs par mois pendant dix ans ainsi qu'une pension de sept mille cinq cents francs pour chacune de nos filles.

C'est à cette période qu'elle changea de prénom. Elle jeta Monique et sa rime obscène aux oubliettes et choisit celui de Jade ; Jade, dont la signification renvoie à une « personne passionnée, poussée par sa volonté et capable de faire valoir ses idées avec douceur mais aussi machiavélisme ».

Mon avocat fut fataliste. Vous vous en sortez bien, payez. Payez et oubliez tout ça. Vous êtes jeune, vous pouvez recommencer. J'avais trente-deux ans, des cheveux blancs sur le côté, j'habitais une chambre humide, sans salle de bains ni téléphone ni télévision ; j'avais un boulot que j'aimais, un poste qu'on m'enviait, les clients écoutaient, mes équipes avaient du talent et nos campagnes du succès.

Un soir je rentrai avec une stagiaire. Lorsque je poussai la porte de la rue Trouillet après lui avoir ouvert la portière de la Mercedes, le sang de ses joues disparut d'un coup ; et lorsqu'elle cria mais qu'est-ce qu'un type comme toi, un *directeur de la création* fout dans une piaule pareille, je n'eus rien à répondre ; qu'est-ce que ta vie doit être triste pour que tu sois tombé si bas. Quand elle claqua la porte le souffle d'air balança dans la pièce les derniers mots qu'elle avait prononcés.

Je les pris alors dans la main ces mots qui flottaient, je les broyai jusqu'à ce qu'ils finissent en poussière. Ils résumaient cette partie de ma vie, ces quelques mots.

Il y avait une boutique de livres d'occasion non loin de la chambre de Clichy. J'y passais chaque samedi, achetais n'importe quoi d'Hadley Chase à Wharton. Mes compagnons de chambre.

Le dernier samedi d'octobre, un nom sur la couverture d'un tout petit livre me sauta aux yeux. Thérèse Moncassin. Je survolai le résumé. Une maman racontait le drame survenu en 1981 lorsque son fils avait ouvert le feu sur ses camarades de collège et fait six morts. *Un massacre* avait été publié deux ans plus tard alors que je vivais à Bruxelles. Je l'achetai, m'installai à la première terrasse de café pour le lire. Thérèse Moncassin racontait brièvement le drame lui-même, les huit coups de feu tirés par son fils, les trente-sept balles qui l'arrêtèrent. Elle raconta le chaos d'être soudain la mère d'un assassin. Un monstre pour en avoir enfanté un. Dans la seconde partie du livre elle avait essayé de comprendre qui était son fils. Elle n'avait rien trouvé. Pas de témoignages d'anciens camarades. Ni de petite amie. Juste quelques mots dans une lettre qu'il lui avait envoyée de pension.

J'ai pas de copain, écrivait-il. Tout le monde se fout de ma taille, de ma moustache, ils me surnomment *le baiser de la mort.* Il y a un sixième que j'aime bien. Il a été attrapé pour des graffitis. Le divisionnaire a pensé que je l'avais aidé. Je me suis laissé accuser pour être son copain.

C'était tout. Thérèse Moncassin supposait la violence de son fils par la grande douleur d'une trop grande solitude. C'était aussi simple que cela, concluait-elle, aussi simple que cela.

Lorsque je refermai le livre, je tremblai. Eût-il été possible que des mots que j'aurais prononcés eussent pu guérir un géant de quatrième de la solitude, sauver six personnes de la mort ?

Je finis par convaincre ma mère.

Elle choisit le jour. Elle choisit l'heure. Elle posa comme condition que je la ramenasse *immédiatement* si quelque chose n'allait pas, si elle venait à défaillir, si elle voulait s'enfuir ou ne supportait pas une seule chose, une odeur, une image, un regard, n'importe quoi. Je te le promets maman, au moindre geste de ta part, on file, on disparaît. J'ai dit oui, mais je peux encore dire non, précisa-t-elle, un peu inquiète.

Nous arrivâmes à la résidence Jeanne de Valois un mardi à quinze heures. Elle avait estimé que c'était la meilleure heure, après le déjeuner et ses inévitables images de bave et autres crachats et avant celle du bain, des corps impatients partiellement dénudés déjà. Nous étions au mois de novembre. Il fit très beau ce jour-là. Lorsque j'entrai dans le parking, il y avait deux autres voitures garées et sur le capot de l'une d'elles une fille était assise. Elle fumait et la fumée qui s'envolait de sa bouche lui dessinait un joli chapeau. Elle me salua. Je lui rendis son salut et mon cœur battit plus vite un très court instant.

J'aidai ma mère à sortir de l'auto. Elle tremblait. Ses ongles se plantèrent dans mon bras, elle s'y agrippa pour trouver la force de se lever, faire quelques pas, puis s'arrêta, les yeux dans les miens. J'ai peur Édouard, tu ne peux pas savoir comme j'ai peur. Ça va très bien se passer, tu verras. Elle porta la main à son visage. J'ai des cheveux blancs maintenant, je suis une vieille femme, il y a près de quinze ans qu'il ne m'a pas vue, il ne va pas me reconnaître. Maman, dis-je tout bas, il ne reconnaît pas son propre visage. Ma mère inspira profondément. Ses lèvres tremblèrent ; moi, j'ai peur de ne pas le reconnaître. Une larme vint briller dans son œil, une perle d'acier, il était si beau, si beau.

Je glissai mon bras autour de sa taille et nous entrâmes. Elle eut un haut-le-cœur.

Deux vieillards en chaises roulantes glissèrent vers nous, ils avaient les yeux rouges, des sourires d'enfants. L'un d'eux tendit sa main pour nous toucher. Jour, dit-il, jour, jour, jour, jour, jour. L'autre rit, se cacha le visage. Plus loin, une très vieille femme torse nu grattait ses seins usés et plats. Tu veux qu'on s'en aille ? demandai-je. Elle ne répondit pas. Nous montâmes au premier, marchâmes sans croiser personne jusqu'à la chambre de Dumbo. La porte était entrouverte. Ma mère retint mon bras alors que je m'apprêtais à pousser la porte et elle eut le même geste que celui qu'elle eut ce matin-là à Beg-Meil quand elle était encore l'amante et rentrait d'une nuit *ailleurs*, ce geste qui fut terriblement érotique : elle ramena – dans la même sexualité troublante –, sous la soie de son foulard, les mèches de cheveux blancs qui dépassaient. Puis entra.

On avait déplacé le fauteuil de Dumbo près de la fenêtre.

Lorsque nous fûmes là, il ne tourna pas la tête. Au-dehors, dans le jardin, d'autres malades se reposaient ou marchaient ; derrière eux les champs tondus avaient des reflets d'or.

Je m'approchai de lui, me penchai, l'embrassai comme j'en avais désormais l'habitude, alors il leva la tête et me regarda. Je suis venu avec maman, dis-je et ma voix se brisa légèrement. Je fis glisser le fauteuil de façon à ce que mon père regarde dans la chambre. Il n'y eut alors que le lit qui sépara mes parents. Un mètre, à peine.

Ma mère se tint debout, ne dit rien. Elle le regarda longuement, chercha à retrouver les traits de sa beauté sous le masque de son absence ; elle retrouva la couleur pâle de ses yeux, la forme de son nez, celle de ses lèvres, moins fermes désormais, d'un dessin plus triste ; elle chercha le corps qu'elle avait aimé et perdu sous celui-ci, empâté, avachi ; elle ferma une seconde les yeux et je sentis qu'un tourbillon d'images la submergea et l'étouffa et manqua la faire vaciller : leurs corps nus, beaux, fiers, leurs rires, le vent sur leurs deux visages, dans ses cheveux roux à elle, sur sa peau pâle, leur immense sentiment de liberté, leur joie de survivants, bien avant tout ça, le malheur, les mots brisés au sol, le désir qui s'était enfui.

Lorsqu'elle ouvrit à nouveau les yeux, mon père la regardait. Tout son corps semblait s'être contracté, tendu. Il sembla soudain plus mince, plus nerveux. Oui, il la regardait. Et son regard était vivant et son regard était beau. Alors il se passa cette chose étonnante. Ma mère dénoua son foulard, le laissa glisser sur ses épaules ; ses cheveux blancs firent l'effet d'une couronne, elle lui sourit, alors les lèvres de mon père se mirent à trembler, tremblèrent de plus en plus fort, je crus un instant à un malaise mais elles s'ouvrirent et laissèrent un mot s'envoler.

Merci.

Mon père regardait ma mère et il lui dit merci. Ma mère porta une main à sa bouche, étouffa un sanglot puis elle contourna le lit qui les séparait, elle vint s'y asseoir, face à lui, prit ses mains. Et mon père qui ne parlait plus parla à nouveau et répéta

Merci.

Je les laissai seuls. Je commandai un café long au distributeur dans l'entrée.

Dehors, sur le parking, j'allumai une cigarette, mes doigts tremblèrent. *La fille assise sur la voiture* me regarda et me fit un geste. Je lui fis un geste et approchai. Tout en elle était beau. Son visage. Son regard. Sa bouche. La façon dont elle était assise, les jambes croisées, les pieds posés sur le pare-chocs, le buste bien droit, la manière dont elle tenait sa cigarette, son battement de paupières qui semblait *au ralenti* lorsqu'elle inhalait la fumée et l'élégance qu'elle mettait à ployer légèrement son cou quand elle la soufflait. Tout était beau en elle. Jusqu'à la douceur de ses premiers mots.

— Je vous attendais.

De sa main libre elle tapota le capot à côté d'elle et je vins m'y asseoir. Mon poids fit se déformer la carrosserie, elle sourit. Nous ne dîmes rien.

Je lui tendis mon gobelet de café, elle en but quelques gorgées et ce fut la première chose que nous partageâmes.

Plus tard, elle me passa sa cigarette, c'était une Silk Cut. J'en aspirai quelques bouffées, fis la grimace, nous rîmes et ce furent les deuxième et troisième choses que nous partageâmes.

Le soleil d'hiver fut sur nous ; tiède, confortable, un cadeau. Elle ferma les yeux, lui offrit son beau visage. Je la regardai et n'eus envie de rien d'autre que la regarder. Je fus soudain rempli, rassasié ; touché par un sentiment inconnu. Mais je n'eus pas peur.

Dumbo s'était trompé. Les enfants sont capables de miracles. Ils peuvent unir. Ils peuvent réunir.

Puis ma mère cria mon nom.

Je me laissai aussitôt glisser du capot jusqu'à ce que mes pieds touchassent le sol et *la fille assise sur la voiture* tourna gracieusement la tête vers moi et sourit et ce fut le début de tout.

La voiture filait sur l'autoroute qui menait à Lille.

Sur France Musique, la pianiste Tatiana Shebanova envoûtait d'une nostalgie nouvelle l'Opus 3 n° 10 de Chopin, parfois appelé *L'intimité*.

— Tu crois que je serais affreuse si je reteignais mes cheveux ? demanda l'amante.

— Je ne crois pas.

— Vous avez de la chance les hommes, les cheveux blancs, ça vous va bien.

Je souris.

— Il a grossi.

— Ouais.

— Mais ses yeux, c'est les mêmes.

— Des yeux de chat.

— Des yeux de chat.

Elle tourna la tête vers les champs noirs.

— Il a quand même pris un coup. On en prend tous, remarque. Mais c'est bien lui.

— Il t'a dit autre chose ?

— Il a jamais beaucoup parlé tu sais.

Je haussai les épaules.

— *Cours, tu as cinquante secondes pour l'attraper.*

— Qu'est-ce que tu racontes ?

— Le jour où il m'a appris qu'il t'avait quittée, c'était cinquante secondes avant le départ de mon train pour la pension.

— Je vais revenir le voir, Édouard. Je ne le laisserai pas s'envoler, pas comme Hadrien.

— Tu as été une vraie maman.

J'eus l'impression qu'elle ravalait une larme et mis cela sur le compte de la mélancolie du Polonais.

— Elle est jolie.

Les mères voient tout.

— Oui.

Nous arrivâmes à Croix.

Je la déposai devant chez elle avant de reprendre la route vers Paris, vers la chambre humide, les mots mauvais, les livres d'occasion, les choses éphémères.

Elle sortit de la voiture puis se pencha vers moi.

— Je ne sais pas où tu en es avec tes romans Édouard, mais tu viens de nous écrire quelque chose de plus beau qu'un livre.

Je la regardai, éperdu.

Je vis ses lèvres former un dernier mot. Le même que celui que mon père avait prononcé deux fois quelques heures plus tôt.

Elle ferma la portière. Tout doucement, comme la couverture d'un livre que l'on vient de finir.

Puis elle disparut dans les ombres du hall de son immeuble.

Je remis alors le contact, enclenchai la vitesse automatique et pris la direction de l'autoroute. Je ne suivis pas les panneaux qui indiquaient Paris. Je décidai de changer de route.

Enfin.

Dans un peu plus d'une demi-heure maintenant j'entrerai dans Maing. Il fera nuit. J'irai garer la Mercedes sur le parking de la résidence Jeanne de Valois et si *la fille assise sur la voiture* n'est pas là, je l'attendrai.

Je jetterai les clés. Et je l'attendrai.

REMERCIEMENTS

Éternels, à Jean-Louis Fournier. Mon livre lui doit la vie.

À Karina Hocine qui possède le plus grand des talents : celui d'en donner aux autres.

À Claire Silve, qui est entrée dans ces pages comme un rayon de soleil.

À Fatia, ma si touchante lectrice, un matin, dans l'escalier du 17 rue Jacob.

À Emmanuelle Hauguel qui embellit le monde chaque fois qu'elle le regarde.

À Dana enfin, à qui tout est dédié, destiné et aux pieds déposé. Oui, c'est *la fille assise sur la voiture*.

Le Livre de Poche s'engage pour
l'environnement en réduisant
l'empreinte carbone de ses livres.
Celle de cet exemplaire est de :
250 g éq. CO_2
Rendez-vous sur
www.livredepoche-durable.fr

PAPIER À BASE DE
FIBRES CERTIFIÉES

Composition réalisée par DATAGRAFIX

Achevé d'imprimer en août 2012 en France par
CPI BRODARD ET TAUPIN
La Flèche (Sarthe)
N° d'impression : 69691
Dépôt légal 1re publication : août 2012
LIBRAIRIE GÉNÉRALE FRANÇAISE
31, rue de Fleurus – 75278 Paris Cedex 06